BAT PAT

M

El papel utilizado para la impresión de este libro ha sido fabricado a partir de madera procedente de bosques y plantaciones gestionadas con los más altos estándares ambientales, garantizando una explotación de los recursos sostenible con el medio ambiente y beneficiosa para las personas.

Por este motivo, Greenpeace acredita que este libro cumple los requisitos ambientales y sociales necesarios para ser considerado un libro «amigo de los bosques». El proyecto «Libros amigos de los bosques» promueve la conservación y el uso sostenible de los bosques, en especial de los Bosques Primarios, los últimos bosques vírgenes del planeta.

Título original: *Mostri al museo*
Publicado por acuerdo con Edizioni Piemme, S.p.A.
Adaptación de la cubierta: Random House Mondadori / Judith Sendra

Primera edición: octubre de 2011

Printed in Spain – Impreso en España

ISBN: 978-84-8441-756-9
Depósito legal: B-30.588-2011

Compuesto en Compaginem

Impreso y encuadernado en Egedsa
C/. Reis de Corella, 12-16, nave 1
08025 Sabadell

GT 17569

EL MUSEO DE
LOS CONJUROS

TEXTO DE ROBERTO PAVANELLO

montena

¡¡¡Hola!!!
¡Soy Bat Pat!

¿Sabéis a qué me dedico?
Soy escritor. Mi especialidad son
los libros escalofriantes: los que hablan
de brujas, fantasmas, cementerios...
¿Os vais a perder mis aventuras?

Os PRESENTO A MIS AMIGOS...

REBECCA

Edad: 8 años
Particularidades: Adora las arañas.
y las serpientes. Es muy intuitiva.
Punto débil: Cuando está nerviosa,
mejor pasar de ella.
Frase preferida: «¡Andando!».

LEO

Edad: 9 años
Particularidades: Nunca
tiene la boca cerrada.
Punto débil: ¡Es un miedica!
Frase preferida: «¿Qué tal si
merendamos?».

MARTIN

Edad: 10 años
Particularidades: Es
diplomático e intelectual.
Punto débil: Ninguno
(según él).
Frase preferida:
«Un momento,
estoy reflexionando...».

¡Hola, amigos voladores!

¿Os dan miedo los monstruos? ¿Y la oscuridad? ¿Y los monstruos en la oscuridad? Si venciendo el remiedo pudierais salvar algo que dabais por perdido, ¿aceptaríais el reto? Yo seguro que no, pero cuando se trata de seguir a los hermanos Silver, nunca me echo atrás, ¡aunque no sepa qué va a pasarme! Sea como sea,

ahora ya está hecho: he acabado en la primera página del *Eco de Fogville*..., eso sí, disfrazado. Y la historia que he conseguido no está nada mal. Así que, si os apetece leerla, seguidme. ¡Veréis de todo!

1

UNA ESCRITORA
EN LA FAMILIA

n la escuela hay días buenos, días aburridos y días desastrosos.

Aunque el mejor de todos es... el primer día de las vacaciones de verano. Y todo empezó justo en esa fecha. No sonó el despertador, el autocar no tocó la bocina delante de casa, los chicos dormían...: solo estaba yo. El momento perfecto para dedicarme a lo que más me gustaba: revolotear en busca de una gran historia. Y entre vuelecito y siestecilla, entre charla y merienda, aquella tarde encontré la inspiración donde menos lo esperaba: en un par de bolsas de la compra.

La señora Silver llegó a casa con dos bolsas tan pesadas que parecían llenas de ladrillos.

—¡Hola, mamá! —la saludó Leo, curioseando feliz si había algo sabroso para comer—. ¿Traes merienda?

—No, cariño —contestó ella secándose el sudor de la frente—. Son libros.

—¿Libros? —se interesó enseguida Martin.

—Libros viejos de cuando estudiaba —explicó su madre.

Leo resopló desilusionado mientras Martin revolvía con curiosidad una de las bolsas. Quería saber lo que leía su madre de joven. Para gran sorpresa de todos, encontró una colección de libros... inesperada.

—Mira tú por donde... *Las obras maestras del cine de terror* de Ian Espantapájaros, *Yo no abriría esa jaulita* de Minino Zarpas, *Animales feos y malos* de Marcella Tembleque...

—¡No hay animales feos y malos! —replicó Rebecca acercándose a sus hermanos—. ¿De verdad leías esto? —comentó mientras ojeaba los libros. Entonces le llamó la atención un libro rojo—. ¿Y este de aquí? —preguntó mostrándoselo a Leo y a Martin.

Se titulaba *La feria de los monstruos* y la autora era... ¡Elizabeth Silver! Por todos los mosquitos, creía que yo era el único escritor de la familia, y, en cambio..., ¡la señora Silver había publicado un libro! Volé orgulloso hasta Rebecca y me coloqué encima de su hombro para escuchar una historia muy interesante.

—En la universidad estudié historia del cine con el famoso Timothy Blob, un gran fan de las películas de terror.

—¡Qué fuerte! —exclamó Rebecca entusiasmada.

—A finales de curso nos encargó unos deberes especiales —siguió Elizabeth—. Nos pidió que hiciéramos un trabajo sobre nuestro tema preferido. Pero yo no sabía cuál elegir porque me gustaba todo lo que habíamos estudiado. Así que...

—¿Qué? —preguntaron los hermanos a coro.

—Me inventé *La feria de los monstruos*. Cada capítulo trataba de un monstruo diferente, como si fueran las obras de un museo.

—¡Genial! —la felicitó Martin.

—Al profesor Blob también le gustó mucho, tanto que decidió montar un museo con una sala dedicada a los monstruos.

—¿Te refieres al viejo Museo de los Conjuros de Fogville? —preguntó asombrada Rebecca.

—Exacto.

«¡Qué remiedo! Yo no pasaría ni un segundo en un sitio así...», pensé yo.

Pero Rebecca no opinaba igual.

—Vamos a verlo, mamá, por favor —suplicó poniendo su carita de niña buena.

La señora Silver encogió los hombros.

—Desgraciadamente, es imposible. El profesor Blob me ha llamado justo hoy para decirme que el museo cerrará dentro de unos días. Si vierais todo lo que está tirando... ¡Por suerte, he conseguido salvar estos libros!

Lancé un profundo suspiro de alivio. A lo mejor conseguía pasar un fin de semana tranquilo, durmiendo cabeza abajo, lejos de aventuras monstruosas y sorpresas aterradoras. Pero no había contado con la tozudez de Rebecca.

—Pues vayamos enseguida, antes de que sea tarde.

—¡Sí! Podemos ayudar al profesor Blob a vaciar el museo —propuso Martin— y rescatar algunos libros de terror...

—¡Claro! —replicó la señora Silver—. Sois unos chicos geniales, estoy orgullosa de vosotros. ¡Esta noche preparé una cenita especial para celebrar vuestra gran idea!

Miré a Leo. Tenía la esperanza de que, al menos él, se negara categóricamente a pasar los primeros días de vacaciones sacando cajas polvorientas e inquietantes. En fin, ya sabéis lo perezoso que es..., ¡casi más que yo! Pero olvidaba que también le encanta comer.

—No te molestes en mirarme así, Bat —dijo él adivinando mis pensamientos—. Una cenita especial es una cenita especial.

Aquello era peor que una promesa: ¡era casi una amenaza!

Queridos amigos voladores, como diría mi amigo Bat Pat, ¿sabíais que muchas películas de terror se basan en libros de miedo?

Por ejemplo, la historia del **conde Drácula** es obra del escritor irlandés Bram Stoker, que en 1897 creó el vampiro más famoso de todos los tiempos. Stoker se inspiró en un príncipe cruel y sanguinario, Vlad III de Valaquia, y ambientó sus tenebrosas aventuras en los montes Cárpatos, donde el malvado soberano tenía su terrorífico castillo. Su padre se llamaba Vlad Dracul II, que en rumano significa «demonio»..., un nombre perfecto para el malo de la película, ¿no os parece?

¡CUIDADO CON EL PERRO!

La leyenda del conde Drácula asustó tanto a los lectores de todo el mundo, que se hicieron películas de todo tipo, desde el terror hasta la comedia. Y no solo de la historia del vampiro, sino también de sus amigos y parientes, como el hijo de Drácula, la hija de Drácula, la esposa de Drácula, la madre de Drácula, incluso de Zoltan, el perro de Drácula... ¡A saber los colmillos que tendría aquel perro!

EL PRÍNCIPE BLANDITO DE LAS TINIEBLAS

Los vampiros son criaturas imaginarias, pero en el reino animal hay especies que sí se alimentan de sangre. Algunas muy conocidas, como los mosquitos. Otras más raras, como el murciélago de alas blancas de Centroamérica, al que le encantan las gallinas, las aves salvajes y los pequeños mamíferos. Incluso hay un animalito que vive en las profundidades marinas, donde casi no llega la luz: el calamar vampiro. Este calamar mide 30 centímetros de largo y su cuerpo está cubierto de fotóforos, una especie de lamparillas que enciende y apaga cuando quiere. Por ejemplo: si quiere defenderse de un enemigo, lo ciega con destellos cortos e intermitentes y después huye. Cuando quiere ver una presa, ilumina suavemente el agua que lo rodea durante varios minutos. ¡Un molusco de lo más brillante!

2
BIENVENIDOS
AL REINO DEL TERROR

oco después la señora Silver apar-
caba el coche justo delante de «su»
Museo de los Conjuros.

—Pasaré a buscaros hacia las
cinco. ¡Qué os divirtáis! —dijo con
una sonrisa.

Pero, a juzgar por la entrada, aquel sitio
no tenía nada de divertido. La gran puerta en arco
tenía unos afilados dientes que parecían dispuestos a
morder a los visitantes. Sobre ella había una nariz
gigantesca por la que salía un humo verdoso. Y de la

cara de piedra que cubría todo el edificio sobresalían dos malvados ojos. ¡Era como meterse en la boca de un ogro hambriento! Dentro aún era peor. La taquilla estaba al final de un pasillo largo, oscuro y polvoriento. Volé esquivando las telarañas que colgaban del techo, mientras mis amigos caminaban desconfiados a mis pies. Al fondo nos esperaba una sombra oscura, con un sombrero puntiagudo, que revolvía un caldero humeante con un palo irregular. Frente a ella había un felpudo en el que ponía: ¡BIENVENIDOS AL REINO DEL TERROR!

Leo tragó saliva y Martin se acercó a saludar a la figura del sombrero.

—Ejem... Buenos días...

La silueta se volvió de repente y nos apuntó con sus terroríficos ojos. Tenía unas cejas espesas y negras como el carbón.

—¡Ja, ja, ja! —rió enseñando sus grandes y ennegrecidos dientes.

—¡Aaah! ¡Una bruja! —chilló Leo aterrorizado, corriendo hacia la salida.

Justo cuando yo iba a hacer lo mismo, un ser huesudo y larguirucho apareció ante él y le cerró el paso.

—¡Uuuh! ¡Un esqueleto! —exclamó mi amigo, acorralado en una esquina—. ¡Sálvese quien pueda!

Por suerte, el esqueleto carraspeó para aclararse la voz y después dijo:

—Tú debes de ser Leo, ¿no?

—¿Co-cómo sabe mi-mi nonombre? —tartamudeó él.

—Sé tu nombre porque me lo ha dicho tu madre, naturalmente —explicó el esqueleto con aire de profesor.

Leo lo miró extrañado mientras

Martin y Rebecca hacían un esfuerzo para no soltar una carcajada.

—Y vosotros debéis de ser Rebecca y Martin...

—Exacto, señor Blob —respondió Martin riendo.

—Entonces ¿usted no es un esqueleto? ¿Y ella no es una bruja? —preguntó por fin Leo.

—Pues no. Yo soy el propietario del museo, y ella, como dice el cartelito, solo es una estatua. Una fiel reproducción de Penélope Verruguina, la protagonista de la película *Calderos caníbales. La verdadera historia de la persecución de las brujas.*

Timothy señaló un cartel de la pared en el que ponía todo lo que acababa de decir. Después se acercó a la bruja, y esta se volvió de golpe, igual que cuando habíamos entrado nosotros. Llevaba una peluca roja, un gorro y un largo vestido viejo. Resumiendo, ¡que era falsa de pies a cabeza!

Leo se sonrojó avergonzado. Se lo había tragado todo.

—¿Y por qué se vuelve cuando llega alguien?

—¿Ves este felpudo? —dijo Blob señalando el suelo frente al caldero—. Cuando lo pisas, se dispara un mecanismo que está conectado al muelle del cuello de la estatua, y la bruja se vuelve de golpe.

—¿Lo ha inventado usted? —preguntó Martin entusiasmado.

—¡Pues claro! —asintió Blob.

«Qué imaginación más siniestra...», pensé encogiendo las alas de miedo.

En cambio, a Leo le pareció muy divertido su estrafalario invento y saltó un par de veces sobre el felpudo.

—¡Ja, ja, ja! ¡Qué pasada! —exclamó, convencido de que estaba haciendo un cumplido al profesor.

Pero él suspiró con aire triste.

—Antes la gente se moría de miedo al oír la risotada de la bruja Verruguina. Pero de eso hace mucho tiempo...

El hombre desapareció abatido tras una pesada cortina de terciopelo de color rojo oscuro. La señora Silver nos había dicho que el profesor sentía mucho tener que cerrar el museo. Pero la verdad es que parecía auténticamente desesperado.

Martin y Rebecca tuvieron la misma impresión. Incluso Leo, que se lo estaba pasando en grande, dejó de reír y saltar sobre el felpudo y entró a regañadientes en el museo.

Yo habría hecho un millón de preguntas con tal de no meterme ahí. Como por ejemplo: «¿Y si nos vamos a casa a

dormir... ya?». O: «¿A quién le apetece irse a casa a dormir... ya?». O también: «¿Qué os parece si nos vamos a casa a dormir... ya?». Y habría sido lo mejor, porque, en cuanto crucé la cortina de terciopelo, lo que vi no me gustó nada.

La sala estaba repleta de grandes pantallas que proyectaban las películas de terror más famosas de la historia del cine. A sus pies se alzaban las estatuas de los protagonistas de las obras maestras del género, entre ellas *La venganza de los tomates lobo*, una pelí-

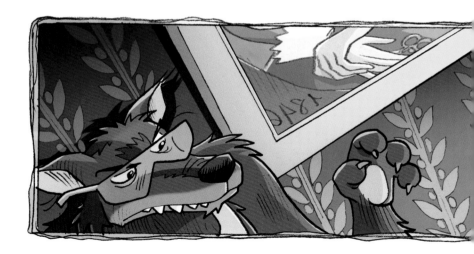

cula sobre pizzeros que se transforman en lobos interpretada por Joe Tomato y Patty Pimentón.

Las estatuas dedicadas a Joe y Patty podían convertirse en dos horripilantes lobos gracias a un raro mecanismo que les hacía salir pelo, garras y hocico, todo a la vez. ¡De auténtico remiedo!

Salí volando de aquel terrorífico rincón y busqué un sitio tranquilo. Encontré un armario que me pareció un escondite perfecto. Por desgracia, dentro no había ropa ni abrigos, sino otro monstruo. La

protagonista de *Vendas tremendas*: una momia de tres metros de altura con ojos amarillos que sobresalían entre las gasas... ¡Había acabado en un sarcófago! Tenía que largarme de allí enseguida. Con las prisas, rocé un muelle que catapultó la momia hacia delante, y el golpe me lanzó como un proyectil hasta la otra punta de la sala. Muerto de miedo, intenté refugiarme en una esquinita oscura, pero se disparó

otro de los mecanismos del profesor Blob y me deslumbró la potente luz de un foco: estaba en el decorado de *Menudo espanto*, una película de terror en la que un esqueleto quiere convertirse en un bailarín famoso. Una tibia danzante me golpeó de lleno y acabé en el cóctel de Rubin Burp, el vampiro protagonista de *Pajitas asesinas*.

—¡Cuidado, Bat! —gritó Rebecca salvándome por los pelos de la pajita.

—Qué nombre más curioso. ¿Quién es Bat? —preguntó el profesor.

—Es un murciélago amigo nuestro, y creo que sus monstruos le han dado un susto de muerte. ¿Ve cómo tiembla?

¡Es verdad, estaba temblando como un flan!

—Amiguito —me dijo Blob con dulzura—. Eres la única criatura de todo Fogville que aún se asusta con mis monstruos, ¿lo sabías?

—Pues ya ve. Bat es el murciélago más miedoso del mundo. ¡Se asusta hasta de su propia sombra! —dijo Leo.

Blob puso una cara triste. Rebecca se dio cuenta y regañó a su hermano.

—Leo, a veces deberías morderte la lengua.

—Tiene razón —suspiró el profesor—. Estos monstruos ya no dan miedo a nadie, solo son muñecos viejos. Ya no sirven.

—¿Y qué será del museo sin los monstruos? —preguntó Rebecca preocupada.

—Lo convertirán en un cine 3D. Solo tenemos un día para sacarlo todo. Mañana vendrá el nuevo propietario. Una firma y... ¡me jubilaré!

Yo estaba convencido de que jubilarse era algo

bueno. Pero el profesor miraba entristecido a su alrededor con solo pensarlo.

—¿Y no podemos hacer nada para salvar el museo? —preguntó Martin.

Blob movió resignado la cabeza.

—Lo único que podéis hacer es ayudarme con las cajas. Seguidme, empezaremos por el almacén.

¡Hola, chicos! He echado un vistazo a la alucinante colección de libros de terror del profesor Blob y he descubierto los secretos de muchos efectos especiales increíbles. Pues sí: los fantasmas, los vampiros y las criaturas de las tinieblas se materializan en el mundo del cine gracias a la tecnología, que no para de avanzar.

GOLEM, el primer monstruo que llegó a la gran pantalla, nació en Praga de... ¡un montón de barro! La leyenda dice que lo creó un rabino para defenderse y defender a sus amigos.

Esta es la historia que cuenta la primera película de terror de la historia del cine. La rodó Paul Wegener en 1915 y se titula precisamente *El Golem*. Paul, que era actor de teatro, decidió interpretar al horripilante monstruo de barro utilizando algunos trucos del oficio.

FEO Y FAMOSO

Para transformarse en Golem, Wegener tenía que estar horas maquillándose y taparse el pelo con una peluca de goma hecha a propósito para aquel papel. La película tuvo mucho éxito y él se hizo tan famoso que la gente lo reconocía por la calle y le gritaba: «¡El Golem, el Golem!», incluso cuando no llevaba la peluca.

CABEZA DE BARRO

¿Os gustaría ser Golem en una fiesta de disfraces? Podéis empezar por la cabeza para haceros una peluca de Golem, necesitaréis:

- Un saco de patatas, de esos de rafia.

- Medíos la cabeza, de la frente a la nuca; después dibujad un círculo en el saco con esa misma medida.

- Cortad el círculo y pasad una cinta elástica por el borde. Siempre que utilicéis las tijeras, pedid ayuda a un adulto.

- Cortad unas cincuenta tiras de cuerda de esparto y lana marrón, beis y gris, todas de 20 cm de largo.

- Pasad las tiras por los agujeritos de la rafia y divididlas en dos con ayuda de un ganchillo.

- Por último, atad las tiras a la rafia, poneos la peluca, ajustad la cinta elástica a la medida de la cabeza y haced un nudo a la altura de la nuca.

¡Ya estáis preparados para firmar autógrafos!

3
MUERTOS...
¡DE RISA!

o que el profesor llamaba «almacén» era una gran biblioteca llena de libros, vídeos y cajas perfectamente ordenados. Hacía varios días que había empezado el traslado, pero todavía quedaban muchas cosas por empaquetar. Y nosotros estábamos listos para ponernos manos a la obra.

—No podéis trabajar con esta ropa, os vais a ensuciar mucho. Coged esto —dijo Blob dando a los hermanos Silver tres perchas con tres monos de trabajo de color naranja.

Ellos le dieron las gracias y se los pusieron con muchas ganas.

—¿Y tú? —preguntó el profesor volviéndose hacia mí.

Encogí las alas sin saber qué decir.

—¡Usaremos esto! —exclamó él agitando un guante de goma como si fuera el invento del siglo.

Agujereó dos dedos del guante y pinzó otros dos por la abertura, dejando el pulgar vacío y colgando... El guante se convirtió en un «mono con cola» un poco ridículo, pero muy útil.

—¡Te sienta como un guante! —comentó Leo riendo.

—No le hagas caso, Bat. Estás guapísimo —dijo Rebecca.

A mi amiga y a mí nos nombraron responsables de la ropa de los monstruos: teníamos que guardar en cajas las pelucas, los trajes, los zapatos y los accesorios.

Martin iba a encargarse de los esqueletos: había que desmontar los huesos y catalogarlos, cada uno con su nombre... ¡Un trabajo de auténtico cerebrín!

—Tú, Leo, vendrás conmigo —dijo Timothy—. Nos ocuparemos de los vídeos de las películas de terror. Hay que desmontar las pantallas de la sala principal del museo y la instalación de audio... Tu madre me ha dicho que eres un genio de la electrónica.

Cuando llegamos, Leo miró perplejo los mezcladores y las grabadoras.

—En realidad soy bueno con los ordenadores y los DVD —precisó—. No sé nada sobre estos aparatos...

—Eso significa que hoy aprenderás algo nuevo —lo cortó el profesor.

Los dos se dirigieron al cuadro eléctrico mientras

Rebecca, Martin y yo volvíamos a la sala para desmontar las viejas estatuas. Debo reconocer que, a pesar del remiedo del principio, fue una de las tardes más divertidas de mi vida. Rebecca se inventó un juego para que dejaran de darme miedo los maniquíes disfrazados de monstruos: empezó a correr de un lado a otro intercambiando pelucas y vestidos. En pocos segundos, el hombre lobo acabó con la cabellera de Verruguina en la cabeza, las gafas de sol del vampiro Rubin apa-

recieron en la nariz llena de verrugas de la bruja, y la calva del esqueleto lucía unos simpágicos mechones hechos con las vendas de la momia. ¡Para morirse de risa! (En sentido figurado, claro...)

—¿Ves, Bat? Solo son muñecos. ¡No tengas miedo! —dijo Rebecca colocándome la diadema de

Patty Pimentón. Me sentí un poco ridículo, lo admito, pero, gracias a los disfraces, se me había pasado el remiedo.

—¿Sabes, Bat? —comentó Martin manoseando una tibia de un metro de largo—. Creo que esta experiencia te irá bien. ¿No crees?

—Y a ti también, hermanote —dijo Rebecca riendo mientras le ponía el gorro puntiagudo de Verruguina. Con aquella cosa en la cabeza y el mono de trabajo, parecía un torpedo espachurrado. Rebecca y yo soltamos una carcajada.

Martin nos siguió el juego.

—¿Ah, sí? Pues temblad. ¡El mago Martin os va a meter en el saco! —gritó lanzándose sobre nosotros.

Pero el gorro le cayó sobre los ojos y, en vez de agarrar el brazo de su hermana, metió la mano entre las costillas de un esqueleto.

—¡Caramba, hermanita! ¡Cómo has adelgazado! —dijo palpando sus escuálidos huesos.

—Por lo visto he trabajado demasiado —replicó ella.

Martin, que seguía con el gorro sobre los ojos, se volvió rápido hacia la voz de su hermana..., un poco demasiado rápido, en realidad. Y, sin querer, golpeó la estatua de un vampiro, que cayó sobre la de un esqueleto, que chocó contra la que tenía al lado y, al final, se cayeron todas montando un jaleo increíble. Calaveras, huesos, pelucas, gafas de sol y pajitas se estrellaron contra el suelo en una terrorífica avalancha que arrolló a nuestro Martin.

—Oh, oh... —murmuró—. ¿Y ahora qué dirá el profesor?

La temida respuesta no se hizo esperar.

—¡NOOO! —chilló Blob detrás del cuadro eléctrico. Pero la exclamación no iba por Martin sino por Leo, que acababa de liarlo todo. El profesor le había pedido que desmontara el equipo de vídeo y audio. Él, como no sabía por dónde empezar, había conectado y desconectado los enchufes al azar y había provocado un cortocircuito.

—Espere, ahora lo intento de nuevo —dijo Leo para tranquilizarlo—. ¡Ya verá como lo arreglo!

Volé hacia ellos y vi que las cosas iban de mal en peor. Las grabadoras estaban como locas y algo raro ocurría en la sala de los monstruos.

—¿Qué pasa? —preguntó Rebecca—. ¡Las imágenes van a la velocidad de la luz!

El volumen subió solo y el museo se llenó de chillidos, aullidos y risotadas ensordecedoras. Las luces empezaron a parpadear, encendiéndose y apagándose a un ritmo infernal, sin que nadie hiciera nada. Después salió un humo negro de los cables eléctricos y un olor a plástico quemado se nos metió en la nariz, haciéndonos toser a todos.

—¡Cof, cof! ¡Corta la corriente, Leo! —ordenó Blob intentando llegar al interruptor general.

Pero no hizo falta. La luz y los aparatos se apagaron solos, todos a la vez, y nos quedamos completamente a oscuras.

Ya sabéis que me encantan los animales, incluso los que asustan a la gente. Así que he preguntado al profesor Blob sobre el tema y él me ha hablado de algunas bestiecillas de lo más desagradables... Empecemos por la más antigua: **QUIMERA**, la abuela de todos los monstruos, que no era precisamente una dulce ancianita.

TRES MONSTRUOS EN UNO

En la *Ilíada*, el gran poeta griego Homero describe así a Quimera: «Era un monstruo de origen divino con cabeza de león, patas de cabra y cuerpo de dragón; y su boca horrendas llamaradas de fuego vomitaba».

Según la leyenda, el inmenso poder de Quimera se debía justamente a que tenía la fuerza de un león, la agilidad de una cabra y la sabiduría de un dragón... Sí, costaba un poco entender lo que decía porque solo le salían llamas de la boca. Pero estoy segura de que si hubiera podido hablar, ¡habría dicho cosas muy inteligentes!

DE TAL PALO...

La madre de Quimera era Equidna, una víbora. ¡Y no solo por su carácter! Tenía la cabeza y el cuerpo de una mujer muy hermosa, pero en vez de piernas tenía una horrible cola de serpiente.

Su marido la encontraba encantadora... ¡pero es que él también era un monstruo! Tifón era un gigante alado con cabeza de dragón y una voz tan potente como un huracán. Cuando nació su dulce hijita, los dos se sintieron monstruosamente afortunados.

EL MEJOR AMIGO DE LOS MONSTRUOS

¡Pero la cosa no acaba aquí! El famoso perro que vigilaba la puerta del Hades, el mundo de los muertos, era... el hermano de Quimera. Se llamaba Cerbero y, en vez de un suave pelaje, tenía una maraña de serpientes venenosas que, con cada ladrido, estaban dispuestas a atacar a cualquiera con su mordedura letal, haciendo sisear sus largas lenguas.

La tarea de Cerbero era impedir que los vivos entraran en el reino de Hades y que los muertos pudieran salir.

De pequeños, Cerbero y Quimera no paraban de pelearse. Para mamá y papá era... ¡un auténtico infierno!

4
APAGÓN

ntre las tinieblas más tenebrosas vi que dos lucecitas se encendían y venían hacia mí.

—¡Socorro! ¡Fantasmas! —chillé.

—Tranquilo, Bat —dijo mi amiga—. Son linternas.

—¿Estáis todos bien? —preguntó Martin.

Nuestras caras aparecieron una a una en la oscuridad, iluminadas por una luz amarillenta. La última fue la del profesor. Excepto por la mata de pelos en punta, Blob parecía ileso.

—Pero ¿se puede saber qué ha pasado? —exclamé preocupado.

Blob refunfuñó:

—¡Apagón!

—No hay corriente —confirmó Martin.

El hombre asintió.

—Pero antes de eso, los equipos han hecho cosas muy raras...

—Todo es culpa mía, lo siento mucho —dijo Leo avergonzado.

Blob se encogió de hombros.

—Lo importante es que nadie se haya hecho daño. Mañana llamaré a un electricista para que arregle la avería. Me temo que por hoy hemos terminado.

Nos miramos desilusionados. Para nuestra sorpresa, nos habíamos divertido un montón y no teníamos ganas de volver a casa. La verdad es que aquel sitio era especial: en solo unas horas, Timothy nos había enseñado cantidad de cosas nuevas y habíamos aprendido muchísimo sin aburrirnos. En el fondo, para eso están los museos, ¿no?

—Pero todavía nos queda mucho por ver... —refunfuñó Martin, que no había podido hojear ni uno de los preciosos libros amontonados en el desván.

—Ya, pero a oscuras es imposible —replicó Blob.

Estaba claro como el agua. No nos quedaba otra que esperar al día siguiente.

Llamamos a la señora Silver y a los cinco minutos pasó a recogernos. Los chicos corrieron al coche y la bombardearon con las aventuras de su «terrorífico» día. Describieron al detalle las horripilantes estatuas e imitaron a los monstruos. Ella se partía de risa, feliz de que sus hijos se hubieran divertido. Yo, que había dado pasos de gigante camino a la valentía (esta es bonita, ¿os gusta?), temblaba de vez en cuando.

—Había montones de cajas llenas de disfraces monstruosos —dijo Rebecca.

—¡Y una librería repleta de libros de terror! —exclamó Martin.

—Y un hombre lobo que hacía pizzas —añadió Leo entusiasmado—. A propósito... ¿y si esta noche hacemos pizza, mamaíta?

A todos nos encantó la idea de Leo, y los chicos empezaron a hablar de los ingredientes. Estaban tan concentrados eligiéndolos que nadie se dio cuenta de lo que estaba ocurriendo. ¡Nadie salvo yo! Unos minutos antes, mientras volaba hacia la salida, vi dos destellos en la oscuridad. En ese momento pensé

que era el reflejo de la luz de la calle, pero cuando subimos al coche y la señora Silver arrancó, miré hacia la ventana del museo y... ¡los vi de nuevo! Dos lucecitas amarillas, que parecían los ojos de una serpiente venenosa, centelleaban en la oscuridad como dos rayos que rasgan el cielo en plena tormenta.

—¿Lo ha-habéis visto? —balbucí.

—¿El qué? —preguntó Rebecca.

—¡Los terroríficos ojos tras la ventana!

Rebecca me cogió en brazos y me acarició.

—¿Tan horripilantes como los de antes? —dijo con dulzura—. ¿Esos que has confundido con las linternas?

Lancé una risita para no parecer el típico murciélago miedoso, pero... ¡os aseguro que había visto unos ojos! ¡Palabra de Bat Pat!

LA PERSPECTIVA DEL MURCIÉLAGO

¡Hola, amigos voladores! ¿Os apetecen unas risas para recuperaros del remiedo? Pues disfrutad de mi repertorio de **CHISTES DE AULLIDO** y **COLMOS HORRIPILANTES**. Son una maravilla para los que, como yo, tienen un agudo sentido del humor (no es que quiera hacerme el chulo).

CHISTES DE AULLIDO

Un médico va al cementerio para asistir a un funeral. Cuando está a punto de llegar a la capilla, alguien lo llama y le pregunta: «Pst, doctor, ¿no tendrá algo contra las lombrices?».

¿Por qué las brujas vuelan en escobas?
Porque las aspiradoras pesan demasiado.

Un fantasma le dice a otro: «¿Has visto la cantidad de nieve que ha caído esta noche?». El otro le contesta: «Pues sí. ¡Menos mal que llevamos cadenas!».

«Mamá, mis amigos dicen que parezco un hombre lobo.» «Pues claro que no, cariño. Y ahora sé bueno y ve a peinarte la cara.»

Un vampiro invita a cenar a su novia. «¿Quieres beber algo?», le pregunta. «Sí, gracias.» «¿Grupo A o grupo B?»

COLMOS HORRIPILANTES

¿Cuál es el colmo de un murciélago?
Que le suba la sangre a la cabeza.

¿Cuál es el colmo de un esqueleto?
Quedarse en los huesos del hambre.

¿Cuál es el colmo de un fantasma?
Dormir sin sábana.

¿Cuál es el colmo de un cíclope?
Ser miope.

¿Cuál es el colmo de un vampiro?
Que le huela el aliento a ajo.

¿Cuál es el colmo de una bruja?
Que la echen a escobazos

¿Cuál es el colmo de un dragón?
Tener la garganta inflamada.

¿Cuál es el colmo de un cementerio?
Que esté cerrado por defunción.

¿Cuál es el colmo de un zombi?
Estar muerto de cansancio.

5

¡UNA PIZZA CAPRICHOSA... MENTE ESPELUZNANTE!

omo solía decir mi madre antes de comer: «Tanto si en tu plato hay mosquito, araña o moscardón, lávate las manos siempre con jabón».

Y, como sabéis, todas las madres son igualitas, aunque algunas tengan alitas. (¡Eh, acabo de inventarme un refrán!)

Así que antes de ponernos a amasar la pizza de la cena, la señora Silver hizo que nos laváramos de pies a cabeza.

—Dejad los monos de trabajo en la lavadora y daos una ducha —nos dijo—. Mientras tanto, yo prepararé la masa.

Rebecca llenó el lavabo de agua caliente y me preparó un bañito relajante. Después se metió en la ducha. Los chicos utilizaron el cuarto de baño del señor Silver. Necesité una buena cantidad de jabón para quitarme el polvo de las alas, pero media hora después estábamos todos limpios, perfumados y preparados para una cena inolvidable.

—Yo me encargo de los ingredientes —aclaró enseguida Leo.

—¡Bat y yo extenderemos la masa! —exclamó Rebecca.

¿Os he contado alguna vez que mi amiga y yo formamos un fantástico equipo de pizzeros acrobáticos? ¿No os lo creéis? Ella extiende la masa con el rodillo y yo la hago girar por los aires con las puntas de las alas. ¡Es un auténtico espectáculo!

Nos pusimos manos a la obra.

Mientras Martin terminaba de amasar la pasta, Leo dispuso en la mesa todos los ingredientes: litros de tomate triturado, kilos de mozzarella, una torre de lonchas de jamón, alcaparras, champiñones, anchoas, alcachofas, pimientos y muchas cosas más.

—Esta noche haremos una pizza inspirada en el Museo de los Conjuros, y solo usaremos ingredientes... ¡monstruosos! —anunció—. Primero, sangre de vampiro. —Nos señaló la salsa de tomate—. Después, ojos de esqueleto. —O sea, las rodajas de mozzarella, blancas y redondas—. Unas cuantas lenguas de bruja... —Las lonchas de jamón—. Y, para terminar..., hociquitos de hombre lobo, cortezas de momia y granos de zombi. —¿Lo adivináis? ¡Sí, los champiñones, las anchoas y las alcaparras!

—¡Qué pizza tan espeluznante! —exclamó el señor Silver, que acababa de llegar del trabajo.

—¡No, es una pizza caprichosa... mente espeluznante! —dijo Leo riendo orgullosísimo. Y empezó a poner gruesas capas de mozzarella y jamón en todas las pizzas mientras el horno se iba calentando.

—¿Puedes ayudarlos a meter las pizzas en el horno, cariño? —preguntó la señora Silver a su marido—. Yo tengo que poner en la lavadora los monos de trabajo, o no los tendrán secos para mañana.

El señor Silver se puso los guantes y exclamó:

—¡Adelante con las pizzas caprichosa... mente espeluznantes!

Intenté levantar la mía pero, aun siendo la más pequeña, pesaba como el plomo. Rebecca y Martin también parecían tener problemas.

—Caramba, Leo. ¿No te has pasado con los ingredientes? —comentó Rebecca.

—Por dos lonchitas de jamón... ¡Ya me dirás! —replicó nuestro goloso cocinero.

Su hermana iba a añadir algo, pero en ese momento llegó un chillido escalofriante del cuarto de baño.

—¡Aaah! —gritó la señora Silver.

Fuimos corriendo a ver qué pasaba. ¡Por todos los mosquitos! En el bolsillo de uno de los monos había un dedo largo y huesudo que parecía salido de una película de terror.

—Habrá acabado ahí dentro cuando los esqueletos se me han caído encima —dedujo Martin—. No tengas miedo, mamá. Es de mentira, de una de las estatuas del profesor Blob.

Elizabeth lanzó un suspiro de alivio.

—Mañana se lo lleváis a su legítimo propietario —dijo poniéndolo sobre la lavadora.

De la cocina llegaba un olorcillo delicioso.

Leo olfateó el aire y se relamió.

—¡La pizza está lista! —anunció.

Nos olvidamos enseguida del susto y corrimos a la mesa. Teníamos muchas ganas de saborear el invento de Leo.

—¡Huele de maravilla! —exclamó el señor Silver sacando la primera del horno.

—Y tiene una pinta estupenda —celebró su madre.

Leo empezó a devorar la pizza a grandes mordiscos.

—¡Soy un hombre lobo! —exclamó.

Un hombre lobo que acababa de inventar una pizza de auténtico... ¡aullido!

¿Alguna vez habéis tenido una pesadilla tan horrible que se os ha quedado grabada durante días? Eso es lo que le ocurrió a la gran escritora inglesa Mary Shelley. En el lluvioso verano de 1816, Mary tenía diecinueve años y estaba de vacaciones en el lago de Ginebra. Como hacía mal tiempo, la gente del hotel se entretenía leyendo historias de fantasmas. Seguramente aquellos relatos hicieron que Mary soñara con un monstruo gigantesco que cobraba vida con una descarga eléctrica. Dos años después, esta terrorífica criatura se convirtió en la protagonista de su novela más famosa: *Frankenstein o el moderno Prometeo*.

ZAPATOS Y BOTAS

La primera película basada en el libro de Mary Shelley es un cortometraje mudo de 1910 que se rodó en Nueva York en solo tres días. Pero el *Frankenstein* más famoso del cine es de 1931. Desde entonces no se han hecho muchos más. La versión más divertida es *El jovencito Frankenstein*, de 1974.

Igor, el ayudante jorobado de Frederick Frankenstein (el gracioso sobrino del barón Victor Frankenstein), tiene que ir a buscar un cerebro para el monstruo. Pero se equivoca y lleva a su genial

amo la mente de un tontorrón en vez de la de un gran científico. Y acaban creando un ser patoso que se mete en un montón de líos. Entre carcajada y carcajada, la gigantesca criatura incluso hace un número de claqué con el profesor y desentona como un gato en una orquesta

¡Genial!

BROMA DE JOROBA

Durante el rodaje de la película, el actor que interpretaba a Igor llevaba un disfraz con una joroba de mentira en la espalda. Para hacer una broma a sus colegas, se le ocurrió cambiar la joroba de sitio en cada toma. El equipo tardó varios días en darse cuenta, pero después la idea les pareció a todos tan divertida que decidieron incluirla en la película.

CREAR AMBIENTE

La versión de 1974 se rodó en blanco y negro para imitar el ambiente de la película de 1931. También se utilizó el mobiliario del *Frankenstein* original y se colocó en el mismo sitio. En el año 2000, *El jovencito Frankenstein* quedó en el puesto trece entre las cien mejores comedias americanas. En el 2003, la Biblioteca del Congreso de Estados Unidos decidió incluirla en sus archivos para asegurar su conservación.

6
PAMPLINAS, UN
ARQUITECTO PELIGROSO

os efectos de la pizza caprichosa... mente espeluznante de Leo llegaron a la mañana siguiente y fueron... de lo más pesados. Nadie había pensado en poner el despertador. Rebecca solía levantarse con las gallinas y contábamos con que su inagotable energía nos sacaría de la cama a la hora correcta. Pero aquella mañana dormía como un lirón y (¡no os lo vais a creer!), el primero en despertarse fue Leo... con un buen dolor de barriga.

—Puede que ayer exagerara un poco con la mozzarella... —murmuró tocándose el estómago.

Martin lo oyó y se incorporó gruñendo.

—Es como si tuviera una piedra en el estómago.

Rebecca se levantó con la misma sensación.

—Me siento como si hubiera dormido una eternidad —dijo bostezando.

—Es que es mediodía —apuntó Martin—. Creo que la cena de ayer nos ha atontado un poco...

—¡Es tardísimo! —exclamó Rebecca saltando de la cama—. ¡Tenemos que ir corriendo al museo! —Se vistió como un rayo y salió al patio, donde su madre había colgado los monos para que se secaran al sol. Se puso el suyo y nos ordenó:

—¡Subid a las bicis, dormilones!

—¿Y el desayuno? —objetó Leo.

Rebecca salió disparada hacia el museo sin contestarle. (Por suerte, conseguí meterme a tiempo en la cesta del manillar.)

—¡Espera! —le suplicaron sus hermanos montándose en las bicis.

Desgraciadamente, con las prisas nadie se acordó de algo muy importante que se había quedado encima de la lavadora...

Hice el viaje sentado cómodamente en la cesta de la bici de Rebecca, sintiendo un agradable airecillo entre las orejas. Me habría pasado todo el día tumbado allí dentro, dejando que la chica más rápida de Fogville me llevara de paseo. Pero al llegar al museo, nos encontramos con un extraño imprevisto que me quitó la pereza de golpe.

La puerta estaba cerrada y no había ni rastro del profesor Blob. Me levanté de la cesta dispuesto a emprender uno de mis legendarios vuelos de reconocimiento, pero a los dos aletazos me di cuenta de que también me pesaba la barriga, y caí al suelo agotado. Cuando abrí los ojos, tenía delante un par de gigantescos zapatos de color azul.

—¡Qué horror! —exclamó una voz sobre mi cabeza.

Pensé que lo decía por los zapatos, pero... ¡se refería a mí!

—¿Cómo se atreve? —saltó Rebecca mientras me recogía amorosamente del suelo.

—Querida niña, yo no tengo la culpa de que este animal sea horripilante —dijo el hombre arrugan-

do la nariz—. Respóndeme una pregunta: ¿te da miedo?

—¡Pues claro que no! —protestó Rebecca.

—¿Lo ves? Los bichos horripilantes no asustan ni a los niños.

—¡Eh, que no es ningún bicho! ¡Es mi amigo Bat Pat! —respondió Rebecca, molesta.

—Sí, sí, y yo soy Papá Noel —se limitó a contestar él. Después, ignorándola, fue hacia la entrada y dio tres golpes cortos y nerviosos—. Señor Timothy Blob, soy el arquitecto Pamplinas.

Pero del interior del museo no llegó ninguna respuesta.

El hombre llamó de nuevo y más fuerte.

—Blob, ¿recuerda que habíamos quedado?

Silencio.

—No pienso irme hasta que haya sacado sus piojosas estatuas de mi cine. ¿Entendido?

Nos miramos perplejos.

—Perdone, señor Pamplinas —intervino Martin—. A lo mejor se ha equivocado de sitio. Esto no es un cine, es el Museo de los Conjuros.

Después de fulminarlo con la mirada, el arquitecto se dirigió hacia él y dijo:

—No por mucho tiempo, chico. Hoy el profesor firmará el contrato, y el edificio será mío.

¡Por el sónar de mi abuelo! Blob nos había dicho que iba a vender el

museo, pero esperaba que no lo dejara en manos de alguien tan antipático. Pamplinas tenía una voz muy desagradable y mis sensibilísimas orejitas empezaban a estar agotadas... entre otras cosas porque el hombre no paraba de parlotear agitando un plano.

—¡Convertiré este sitio en el cine del futuro! Cuatro salas para películas de terror en 3D y un montón de tiendas para comprar de todo: golosinas, juguetes, libros... ¡Todo lo que pueda desear un

niño! Será el cine más famoso de todo el país y yo me haré riquísimo. ¡Ja, ja, ja!

En cuanto lo dijo, las gafas de Martin se empañaron: ¡señal inconfundible de que se acercaba una avalancha de problemas! ¡Por todos los mosquitos! Ese arquitecto no solo era pesado como una mosca y molesto como un grano, ¡también era peligroso!

EL LABORATORIO DE LEO

Bueno, ¿estáis preparados para conocer a otra criatura terrorífica? Os presento a **KING KONG**, el gorila más grande del mundo. Merian C. Cooper basó su triste aventura en la historia de un explorador que viajó a una pequeña isla de Oriente y descubrió el reptil vivo más grande que se conoce, el dragón de Komodo. Cooper cambió el reptil por un gorila, y en 1933 *King Kong* llegó a las pantallas de Estados Unidos y conquistó Hollywood.

UN CONEJO FEROZ

La película se rodó utilizando un efecto especial llamado *stop motion* (animación foto a foto), que consiste en fotografiar un muñeco a medida que hace pequeños movimientos. Si las fotografías se proyectan seguidas y a mucha velocidad, da la sensación de que el muñeco se mueve. ¡El maniquí del gigantesco King Kong solo medía medio metro y estaba forrado de piel de conejo!

La selva y la ciudad de Nueva York que se ven a su alrededor también son falsas. Solo eran unas maquetas pequeñas, ¡pero el resultado es espectacular!

En la versión del 2005, el actor Andy Serkis se puso un mono con sensores, y los movimientos del gorila se hicieron digitalmente. Esta película ganó el Oscar a los mejores efectos especiales.

EFECTOS ESPECIALES CON UN TUBO

La escena final de la película tiene lugar en el Empire State Building, donde King Kong lucha contra una escuadrilla de aviones que le dispara.

¡Estáis listos para convertiros en unos expertos de los efectos especiales de sonido? Pues cread el ruido del avión que vuela alrededor del gorila... ¡con un tubo!

- Coged un tubo de plástico blando.

- Apretad un extremo con una mano y dejad el otro abierto.

- Moved el tubo formando círculos y... ¡RUUUM! Ya tenéis el sonido de un avión descendiendo en picado.

- Para cambiar la intensidad del sonido, aumentad o disminuid la velocidad.

- Si queréis sonidos diferentes, utilizad tubos de diferente anchura y longitud.

7

UN BAÑO DE MIEDO

quella tarde, Pamplinas llamó al menos treinta veces al profesor Blob. Pero la voz del contestador decía siempre lo mismo: «El número marcado no está disponible». El enfado del arquitecto iba aumentando cada segundo, y no paraba de gritar como un loco frente a la puerta, que seguía cerrada.

—Quizá debería volver mañana. ¿No le parece? —sugirió Martin.

—¡Ni hablar! —contestó Pamplinas con tozudez.

Nosotros no tardamos en llegar a la conclusión de que era una tontería quedarse todo el día frente a una puerta cerrada, y decidimos volver a casa.

—Es raro —reflexionó Martin mientras pedaleaba por la calle del cementerio—. El señor Blob parecía una persona seria. Quizá ha tenido algún problema y por eso no ha venido...

—O a lo mejor quería fastidiar a Pamplinas —dijo Leo con una risita—. A mí me encantaría fastidiar a ese barrigón insoportable. Empezaría convirtiendo en humo esos horribles zapatos azules.

—No creo que el profesor tenga tiempo para esas cosas, Leo —intervino Rebecca—. Estoy de acuerdo con Martin, pero creo que hay algo raro en toda esta historia. ¿Tú que opinas, Bat?

Yo sugerí que pidiéramos a la señora Silver la dirección de Blob y que fuéramos a ver si todo iba bien.

—Pero antes comeremos algo, ¿verdad? ¡Llevo en ayunas desde ayer por la noche! —nos recordó Leo. Y, sin esperar la opinión de nadie, entró en casa y abrió la nevera decidido a saquearla.

«¡UGLURUL!», se oyó de repente.

—Increíble, la barriga te gruñe como si llevaras tres días sin comer —se asombró Rebecca.

—Ese ruido no viene de mi barriga... —dijo Leo extrañado.

—¿Pues de dónde viene?

La única respuesta fue otro ruido. Esta vez parecía un lamento estremecedor:

—¡AAAH! ¡UUUH! ¡IIIH!

Levantamos la vista en dirección al techo. La voz venía del piso de arriba y no era ni de la señora Silver ni del señor Silver.

—¡Hay alguien en casa! —exclamó Martin.

Nos miramos asustados. ¿Quién podía ser? ¿Y por qué había entrado en casa? Si queríamos averiguarlo, no nos quedaba más remedio que subir a echar un vistazo. Y solo había dos formas de llegar al piso de arriba: las escaleras o... ¡las alas! Si los chicos se encontraban con el intruso, la cosa se pondría fea. Pero yo podía volar hasta las ventanas del primer piso y observar las habitaciones sin que nadie me viera. El deber me llamaba y yo, como (casi) siempre, reuní todo mi valor y dije:

—Yo me encargo, echaré un vistazo desde fuera.

—Ten cuidado, Bat —me aconsejó Rebecca. Después abrió la ventana y salí volando.

Los dormitorios de los chicos estaban vacíos, en la habitación de los padres no había nadie y en el cuarto de baño de George tampoco. En el de Elizabeth, en cambio..., los cristales estaban empañados y no se veía nada. Me acerqué más y la situación mejoró bastante. Pude entrever la bañera llena de agua (debía estar hirviendo, ¡por eso los cristales estaban empañados!) y una figura esquelética aclarándose la cabeza. De repente, un estruendo hizo temblar las ventanas peligrosamente y una sombra gris pasó delante de mí.

Entonces decidí utilizar la famosa técnica del Colibrí que me había enseñado mi primo Ala Suelta, miembro de la patrulla de vuelo acrobático, y me quedé inmóvil, suspendido en el aire, con la esperanza de que los cristales estuvieran lo suficientemente empañados para que no se me viera.

El ruido paró. La sombra se inclinó y empezó a desenrollar unas largas tiras de tela mojadas de dentro de la lavadora. Entonces pude verle la cara: era una mujer y tenía unos ojos amarillos tan luminosos que brillaban incluso a través de los cristales empañados. Eran los mismos ojos que había visto el día anterior tras la ventana del museo. ¡Miedo, remiedo!

—Una colada perfecta —dijo contenta la mujer—. Estas máquinas hacen mucho ruido, ¡pero lavan mejor que cien esclavos de Egipto juntos!

Así que... ¡el ruido que había oído era la centrifugadora de la lavadora!

—Y estos ataúdes llenos de agua son una delicia —añadió el hombre flaco de la bañera—. Nada mejor que un baño caliente para las articulaciones de un bailarín... Por cierto, ¿me pasas mi hueso?

¡Por todos los mosquitos! ¡Era el dedo de una de las estatuas del profesor Blob, el que teníamos que llevar al museo!

—¿Me ayudas a ponerme las vendas? —preguntó la mujer, interrumpiendo mis pensamientos.

—Vale, te echaré una mano... —dijo él desenganchándose la mano derecha y entregándosela a su amiga.

—¡Muy gracioso! —exclamó ella. Y los dos estallaron en carcajadas, divertidos.

Yo, por mi parte, intentaba concentrarme en lo que acababa de oír: «Vendas..., Egipto..., huesos..., bailarines...». ¡Por todos los mosquitos! ¿Qué narices estaba pasando en el cuarto de baño de los señores Silver?

—Estás de miedo, ¿sabes? —le dijo el flacucho a la mujer a modo de piropo.

—¡Gracias! Tú también das mucho repelús —respondió ella devolviéndole el cumplido.

—¡Entonces estamos preparados para aterrorizar a toda la ciudad! ¿Vamos?

—¡Me muero de ganas!

La ventana del cuarto de

baño se abrió de golpe y, ante mis ojitos llenos de miedo remiedo, aparecieron los enormes ojos amarillos de una... ¡MOMIA!

¡Entonces no estaba equivocado! La noche anterior sí había alguien rondando en la oscuridad del museo... y ronda que te ronda... ¡había acabado en nuestra casa!

Me escondí aterrorizado entre las ramas de un árbol. Detrás de la momia entreví a su amigo flacucho. ¡Era prácticamente un esqueleto!

Los vi dar un salto espectacular desde la ventana y desaparecer a toda prisa por el jardín, corriendo amenazadoramente hacia la ciudad.

No me lo podía creer, una momia y un esqueleto bailarín...

¡Por el sónar de mi abuelo! Eran ellos: ¡la protagonista de *Vendas tremendas* y el primer bailarín de *Menudo espanto*!

La última vez que los había visto eran dos estatuas y estaban en el museo del profesor Blob. Ahora, por el contrario, podían moverse sin problemas y charlar como auténticos monstruos... ¡de carne y hueso! (es un decir...)

¿Listos para zambulliros en un mar de miedo? Pues quien os recibirá con su caluroso abrazo de ocho tentáculos será el **KRAKEN**, conocido también como el pulpo gigante... Un bicho tan gigantesco que puede enroscarse al palo mayor de un barco y arrastrarlo a las profundidades.

¡NO ES CULPA SUYA!

La leyenda del Kraken viene de la mitología nórdica. Este pueblo de marineros del norte de Europa conocía muy bien los peligros y las maravillas del mar. Los chorros de agua altos como montañas, los remolinos de agua vertiginosos y las olas raras se consideraban una señal inconfundible de que había un gigantesco monstruo marino. En realidad, el fondo de los mares que surcaban las barcas nórdicas estaba repleto de volcanes marinos que provocaban fuertes corrientes de agua... ¡Y todos echándole la culpa al pobre pulpito!

TODOS LOS GLOTONES SON IGUALES

Por lo visto, los antiguos pescadores noruegos estaban convencidos de que los kraken vivían en el fondo de su gélido mar, se alimentaban de peces durante tres meses seguidos y después se pasaban otros tres meses digiriendo la comilona. Y que cuando acababan, les encantaba sacar de paseo su inmenso cuerpo y soltar un bonito chorro de agua digestiva. Bueno, ¿y eso qué tiene de malo? ¡Yo he visto a mi hermano haciendo algo muy parecido después de los atracones de Navidad!

UNA LARGA EXCURSIÓN BAJO EL AGUA

¿Y si el monstruo marino fuera en realidad un gran submarino que surca las profundidades del mar a la caza de sus misterios? Julio Verne se basó en esa teoría y, en 1870, escribió la historia del capitán Nemo. Nemo es el comandante del *Nautilus*, una enorme nave submarina que nadie conoce salvo él y su tripulación. El protagonista, un experto en historia natural del museo de París, se encuentra con el misterioso capitán tras un naufragio y recorre con él 80.000 kilómetros a bordo de su extraño submarino. O... 20.000 leguas de viaje submarino, según la unidad de medida francesa de la época.

8

¡TIEMBLA, FOGVILLE, TIEMBLA!

ero ¿qué-qué es e-eso? —tartamudeó Leo al ver a los dos monstruos aterrizar junto a la ventana de la cocina y cruzar el jardín.

Cuando llegué, temblando casi más que él, les conté lo que había visto en el cuarto de baño.

—¿Quieres decir que son las estatuas del profesor Blob? —preguntó Rebecca—. ¿Cómo es posible?

No supe qué contestar: a mí también me parecía increíble que una estatua pudiera irse de paseo por la ciudad. Martin, en cambio, tenía una explicación digna de su escritor favorito, Edgar Alan Papilla.

—¿Os acordáis de Suiza? ¿De cuando nos encontramos al monstruo de Frankenstein en la casa de Shelley?

Yo me acordaba a la perfección: algunos remiedos no se olvidan jamás.

—¿Sabéis cómo dio vida el doctor Frankenstein a su criatura? —nos preguntó Martin.

—Claro, con una descarga eléctrica muy fuerte —contestó Rebecca.

—Como la que provocó Leo al estropear la instalación del Museo de los Conjuros —dijo Martin muy convencido.

Todos pensamos lo mismo y nos dio un escalofrío.

—¿Quieres decir que les puede haber pasado a más estatuas? —preguntó Rebecca expresando en voz alta nuestras peores sospechas.

—Es difícil saberlo —reflexionó Martin—. Puede que sí, puede que no...

Cuando Martin y Rebecca se ponen en ese plan, yo empiezo a temblar, porque tarde o temprano salen con alguna de sus ideas geniales y... ¡peligrosas!

—Tenemos que hacer algo enseguida —dijo Rebecca.

—¡Salir pitando! —exclamó Leo.

—No, hombre —respondió Rebecca.

—¡Escondernos! —insistió él.

—No —dijo Martin.

—¡Zamparnos un bocadillo! ¡Nos aclarará las ideas!

A mí todas las propuestas de Leo me parecían geniales, pero Martin y Rebecca, como me temía, tenían otros planes. Llamaron a su madre y le pidieron la dirección de Blob.

—Él ha creado a esas dos estatuas. Es el único que puede decirnos cómo detenerlas —explicó Martin.

—Eso si logramos encontrarlo... Empieza a preocuparme un poco que esta mañana no apareciera... —dijo Rebecca.

—¡No hay tiempo que perder! ¡Vamos! —exclamó Martin nervioso.

En un batir de alas estaba otra vez en la cesta de la bicicleta, circulando por las calles de una ciudad a merced de los monstruos.

Por desgracia, nuestras peores sospechas no tardaron en confirmarse.

Al poco rato nos topamos con Rubin Burp, el vampiro de *Pajitas asesinas*. Estaba sentado en un bar de la calle principal de nuestra tranquila ciudad, con las gafas de sol puestas. Tenía delante un gran vaso rebosante de un líquido rojo sangre y una pajita entre los labios, con la que sorbió de un golpe la bebida, haciendo un ruido... ¡espantoso!

—Tráigame otro zumo de tomate, por favor —le pidió al camarero.

—Lo siento, señor —contestó el hombre, incómodo—, pero se nos han acabado los zumos de tomate.

—¿Se han acabado?

—Sí... ¡Se los ha bebido todos usted!

El vampiro cogió la pajita del vaso vacío y miró al camarero con cara de desesperación.

—En ese caso, tendré que contentarme con otro tipo de zumo... —dijo lamiéndose los colmillos y apuntando con la pajita al cuello del pobre camarero.

—¡Quiere chuparle la sangre! —exclamó Leo aterrorizado—. ¡Tenemos que lograr impedírselo, sea como sea!

Entonces recordé la Zambullida del Halcón, una técnica de vuelo en picado que me había enseñado mi primo Ala Suelta y que requiere rapidez y precisión, sobre todo para que no te atrapen. Me concentré en el objetivo y salí disparado hacia las gafas de sol de Rubin. Se las saqué de la nariz agarrándolas de un tirón y volví a toda velocidad con mis amigos humanos.

—¡Maldito bicharraco! —me insultó el vampiro tapándose los ojos para protegerse del sol—. ¡Ven aquí y devuélvemelas ahora mismo!

Pero eso era lo último que pensaba hacer. Me metí en la cesta de Rebecca y grité:

—¡Vámonos!

Ella se puso a pedalear como una loca, seguida de sus hermanos. Mientras nos alejábamos, vi que el vampiro daba tumbos deslumbrado por el sol y se lanzaba sobre los clientes del bar, buscando sus gafas.

—¿Dónde te has metido, bicharraco? —chillaba volcando las mesas, enfadadísimo.

—¡Socorro! ¡Este hombre está loco! —gritaban aterrorizados los clientes.

—Hay gente que se pone hecha una furia cuando no le traes lo que pide —dijo indignado el camarero—. No aguanto más, juro que antes o después cambiaré de trabajo...

Cuando dimos la vuelta a la esquina, lo perdí de vista. Nos creíamos a salvo, pero todavía quedaba mucho para llegar a casa del profesor Blob, y el camino estaba lleno de horribles imprevistos...

LA PERSPECTIVA DEL MURCIÉLAGO

¡Hola, chicos! ¡Me moría de ganas de volver a encontrarnos, y aquí estamos! ¿Preparados para estrujaros el cerebro con estos divertidísimos **JUEGOS**? ¡Pues adelante!

COMO DOS GOTAS «DE SANGRE»

¿Sabíais que Rubin Burp tiene un hermano gemelo? Aunque se parecen como dos gotas de agua (perdón, de sangre), hay seis pequeños detalles que los diferencian. ¿Cuáles?

SOLUCIONES: raya del pelo, solapa de la capa, broche de la capa, reflejo del vaso, botones de la camisa, zapato derecho.

EL LABERINTO DE LOS HORRORES

Los hermanos Silver tienen problemas (¡para variar!). ¿Cómo pueden salir del laberinto sin encontrarse con los monstruos que los acechan?

9

¿LOS HAS VISTO?

 e moría de ganas de llegar a casa del profesor Blob. Estaba seguro de que allí por fin estaríamos a salvo. Pero de repente oímos algo: un melancólico aullido que venía de un oscuro callejón a nuestra derecha.

Rebecca se detuvo al instante y prestó atención. Oímos otro sonido terrorífico: parecía el grito de una multitud aterrorizada. Los hermanos Silver intercambiaron una mirada de complicidad.

—Ahí al fondo pasa algo... —dijo Rebecca.

—Y nosotros lo dejaremos correr, ¿verdad, hermanita? —replicó Leo, que se imaginaba lo que Rebecca tenía en mente.

En vez de alejarse, ¿sabéis qué hizo mi amiga? ¡Pues claro! Se metió directa en el callejón, seguida de Martin. Los dos estaban intrigados y querían saber qué eran aquellos horripilantes ruidos. Leo y yo los seguimos a regañadientes.

Al llegar al final de la calle, descubrimos que no tenía salida y acababa en un cine pequeño y destartalado. En la entrada había un gran cartel con la foto de un feroz hombre lobo que sostenía una navaja entre las garras.

Debajo, destacado en grandes letras rojas, se leía el título de la película: *El lobo se queda sin pelo y se lo roba a otro.*

—¡Mirad! —exclamó Rebecca señalando el nombre de Joe Tomato—. ¿Os recuerda algo?

—Sí, es el hombre lobo del museo... —dijo Leo.

JOE TOMATO
EL LOBO SE QUEDA SIN PELO Y SE LO ROBA A OTRO

—Deberíamos entrar en el cine a echar un vistazo.

—Pues yo creo que deberíamos largarnos de aquí —replicó Leo.

—Esta vez estoy de acuerdo con mi hermano... —dijo Martin. Después señaló al otro lado del callejón.

Un hombre vestido de negro con unas ridículas gafas de sol en forma de corazón corría hacia nosotros gritando:

—¡Te he pillado, bicharraco! ¡ahora ya no tienes escapatoria!

¡Era Rubin Burp! Debía de haberle quitado aquellas estrafalarias gafas a algún cliente del bar y ahora quería convertirme en bebida para vampiros. Estábamos en un callejón sin salida..., no había escapatoria. Justo cuando entrábamos en el cine en busca de refugio, una multitud ruidosa salió por las puertas laterales.

Eran los espectadores de la película, y sus gritos no eran de terror sino de emoción descontrolada.

—¿Has visto quién es? —decía uno.

—Eh, pero si es... el legendario Joe Tomato —comentaba otro.

—Y también está Patty Pimentón.

—¡Son guapísimos!

—Están igual que en su última película. ¿Cómo se titulaba?

—*La venganza de los tomates lobo*, una película de terror inolvidable.

—¡Vamos a pedirles un autógrafo!

—¡Vamos a hacerles una foto!

Rubin estaba muy cerca, al otro lado del grupo de admiradores, intentando abrirse paso a empujones y codazos.

—¡Eh, vaya modales! —exclamó enfadado un chico—. Pero ¿quién te crees que eres? —Después se fijó en él y lo reconoció—. ¡No! ¡No me lo puedo creer! ¡Pero si eres Rubin Burp! ¡Eh, chicos, este de aquí es Burp!

La multitud se acercó y el vampiro se vio rodeado de admiradores y cámaras de fotos.

Los flashes empezaron a brillar uno tras otro, como una ráfaga de explosiones. Los monstruos gru-

ñeron molestos por toda aquella luz, hasta que uno de ellos cortó el aire con un rugido terrorífico:

—¡AAAH!

La gente se quedó muda unos segundos, como congelada. Después estalló un aplauso tremendo.

—¡Parad! —gritó Rebecca intentando avisarlos antes de que fuera demasiado tarde—. ¡No es lo que creéis!

Los admiradores no le hicieron caso y continuaron haciendo fotos a sus actores favoritos.

—¡Basta! —exclamó Martin—. ¡Si no paráis, se enfadarán de verdad!

Pero todo fue inútil...

¡Bienvenidos otra vez a la magnífica biblioteca del profesor Blob! Esta vez tengo el disgusto de presentaros a un monstruo tan viejo como las pirámides de Egipto: ¡la **MOMIA**! Detrás de este personaje también hay un escritor famoso: sir Arthur Conan Doyle. ¡Sí, el creador de Sherlock Holmes! Además de las investigaciones del célebre detective, Doyle escribió otras historias, entre ellas la novela corta sobre el monstruo de las vendas. El relato tiene lugar en la Universidad de Oxford, donde un estudiante demasiado curioso despierta el cadáver embalsamado de un antiguo egipcio y siembra el terror entre sus compañeros de clase... ¡Y después dicen que la escuela es aburrida!

ME ENCANTAN LAS MOMIAS

Cuando se descubrió la tumba de Tutankamon, en 1922, el antiguo Egipto volvió a ponerse de moda. *La momia*, rodada en 1932 (y su posterior versión de 1999), arranca precisamente en ese punto. En esta famosa película, un grupo de científicos descubre la tumba de un antiguo sacerdote egipcio y un pergamino lleno de conjuros y hechizos. Al leerlo, resucitan a la milenaria criatura, sin saber que acaban de despertar al monstruo más romántico de la historia. La momia no puede vivir sin su hermosa prometida y está dispuesta

a todo con tal de traer su alma del reino de los muertos. Cuando dicen que el amor es eterno...

UN MONSTRUO DE CORAZÓN TIERNO

William Henry Pratt, de nombre artístico Boris Karloff, era un actor de lo más raro. Durante su carrera interpretó a muchísimos monstruos (entre ellos la momia, Frankenstein y un vampiro) y se convirtió en un experto en personajes espeluznantes. Pero la gente que lo conocía decía que era muy tímido y sensible. Le encantaban los cuentos infantiles y sabía un montón sobre hadas y duendes, ¡tanto que una vez se presentó a un concurso sobre el mágico mundo de las fábulas y ganó mucho dinero!

10

TRANSFORMACIONES INESPERADAS

nte los pasmados ojos de todos, una gruesa capa de pelo oscuro empezó a cubrir el cuerpo de Patty y de Joe. Las uñas se transformaron en garras, los dientes se convirtieron en colmillos y la nariz se retorció hasta formar un feroz hocico.

¡Miedo, remiedo! ¡Se habían convertido en dos lobos fieros! Los flashes dejaron de centellear unos segundos.

—¡Qué pasada, chicos! —exclamó un admirador—.

¡Estos efectos especiales son de auténtico miedo!

—¡Vamos a pedirles un autógrafo!

—¡Vamos a hacerles una foto!

La ráfaga de flashes volvió a empezar, aún más cegadora…, pero ahora las cámaras no enfocaban a dos actores… ¡sino a dos hombres lobo!

Joe y Patty dieron un gran salto por encima de la muchedumbre y se reunieron con Rubin.

—¿Qué haces aquí, amigo mío? —preguntó Joe al vampiro.

—Ese murciélago de ahí me ha robado las gafas de sol. Lo estaba persiguiendo.

—¡Qué ladrón! —dijo indignada Patty torciendo su peludo hocico.

—Ahora le enseñaremos buenos modales —añadió Joe en tono amenazador.

Los monstruos me miraron fijamente con sus malvados y feroces ojos. ¡Iban a por mí! ¿Huir o esconderse? ¿Apostar por mis amigos o por mis veloces

alas? Ahí estaba yo, haciéndome aquellas angustio-
sas preguntas, cuando Rebecca me sacó del embro-
llo a su estilo.

—¡Corre, Bat! —gritó—. ¡Pero procura que te sigan!

—¿Cómo dices? —repliqué empezando a aletear.

—Tienes que llevarlos a casa del profesor Blob.
No podemos dejar que se paseen por la ciudad. Él es
el único que sabe cómo tratarlos.

Tenía auténtico remiedo, pero me di cuenta de
que era la única solución.

—Quedamos allí dentro de diez minutos, ¿vale?

La voz no me salía, así que me limité a asentir con
la cabeza.

—¡Adelante, Bat! ¡Dales una lección a esos pa-
yasos sin alas! —exclamó Martin para animarme.

Lleno de entusiasmo, me volví hacia Burp y le saqué la lengua con aire de desafío:

—¡Atrápame si puedes, antipático!

Él no dijo palabra. Extendió sus largos y delgados

brazos, cerró los ojos y respiró hondo. Después dio un saltito y... ¡puf! Se transformó en un murciélago... ¡igualito a mí! Lo único que nos diferenciaba eran sus gafas en forma de corazón.

La cosa se ponía fea, amigos voladores. Ahora no tenía ninguna ventaja sobre mis perseguidores y solo contaba con mi habilidad volando. En ese momento tan decisivo, recordé las palabras de mi abuela Evelina: «Si estás en un gran apuro, bate las alas como un tipo duro».

Así que reuní todo mi valor y, sabiendo que me esperaba una persecución aérea espectacular, salí disparado hacia casa de Blob, pidiendo a mis alas lo imposible.

¡Hola, chicos! Seguimos con las malas compañías. Ha llegado el momento de *El Monstruo de la Laguna Negra* (una película de 1954).

Esta película cuenta la historia de una criatura mitad pez y mitad hombre que deja fuera de combate a cualquiera que se acerque a su laguna. El actor que interpretaba el papel de monstruo llevaba un disfraz de látex que lo cubría completamente. Pies de pato, manos con membranas, aletas en lugar de orejas y escamas por todo el cuerpo. El disfraz era tan complicado que necesitaron setenta y seis diseños y ocho meses de pruebas para hacerlo.

UNA INTERPRETACIÓN QUE DEJA SIN RESPIRACIÓN

Para las escenas bajo el agua contrataron a un especialista: un campeón de submarinismo. Era un poco más bajo que el actor protagonista, y el diseñador tuvo que hacerle un disfraz más pequeño, a su medida.

TERRORÍFICO DE PIES A CABEZA

¿Buscáis una buena excusa para que os compren unas aletas nuevas? Pues usad las viejas para haceros un disfraz de monstruo de la laguna. Como siempre, no podréis hacerlo todo solos: pedid a un adulto que os ayude.

- Las aletas harán de pies de pato.

- Para las patas os irán muy bien unos leotardos verdes. Y para hacer las escamas, podéis cortar trozos pequeños de una bolsa de basura y graparlos a los leotardos.

- Podéis utilizar el resto de la bolsa para haceros una casaca y os la ponéis encima de una camiseta verde. Pintad las escamas de la camiseta con un rotulador para tela.

- Para los brazos (que harán de patas anteriores) usad unos guantes de goma verdes; dibujad las escamas y las uñas con el rotulador.

- Tapaos el pelo con un gorro de natación verde. Recortad dos aletas pequeñas de una botella de plástico verde y pegadlas a los lados del gorro.

- Pintad de verde la montura de unas gafas de sol viejas. Cuando os las pongáis, meted las varillas por dentro del gorro.

¡Ya estáis listos para aterrorizar a vuestros compañeros de natación!

11

¡CUIDADO, UN CALDERO CON COLMILLOS!

legar sano y salvo a casa del profesor fue terroríficamente difícil.

Entre los hombres lobos que me perseguían por tierra, y el vampiro que tenía pegado a la ala, no sabía por dónde ir. Si volaba sobre los edificios, ahí estaba Rubin dispuesto a lanzarse sobre mí como un rayo. Si me metía entre los callejones para despistarlo, me topaba con dos hombres lobo que se morían de ganas de ponerme las garras encima. Y, por si eso fuera poco, la gente de la calle chillaba aterrorizada cada vez que Patty y Joe aparecían por una esquina.

—¡Qué miedo! ¡Qué bestias tan horripilantes!

—¡La horripilante serás tú! —les gruñía Patty ofendidísima y sin parar de correr.

Los gritos, ladridos y gruñidos eran cada vez más fuertes y al final acabaron atontándome (ya sabéis lo sensibles que son mis orejitas). Además, de tanto volar en zigzag, subiendo y bajando, me estaba mareando. Afortunadamente, la casa de Blob estaba a batir de alas, y ya podía ver las bicicletas de mis amigos aparcadas frente a la entrada. Reuní las fuerzas que me quedaban para el esfuerzo final: unos metros más y dejaría a aquellos monstruos en manos de su creador. Después todo volvería a la normalidad.

Lo que no tenía previsto es que el creador acabara en las manos o, mejor dicho, en las garras de una de sus terroríficas criaturas... ¿Recordáis a la hechicera de pelo largo y violeta? ¿La bruja? ¡Exacto, Verruguina! Ella no había perdido el tiempo dando una vuelta por la ciudad, sino que había ido directa a casa de Blob. Y no lo había hecho sola: sus utensilios de trabajo la habían seguido. Sí, habéis oído bien: ¡seguido! Habían cobrado vida propia y tenían poderes mágicos alucinantes.

Lo vi en cuanto llegué a la gran ventana de la sala. Verruguina estaba sentada en un sillón, riendo burlona, mientras su horrible caldero daba tumbos por la habitación y ladraba como una fiera a mis amigos. La descarga eléctrica también le había dado vida y lo había convertido en una especie de perro rabioso. Rebecca, Martin y Leo estaban en una esquina de la sala, temblando de miedo. No había rastro del profesor Blob. ¿Quién iba a salvarnos de los monstruos? ¡Estábamos perdidos!

La bruja Verruguina extendió su rugosa varita y recitó un hechizo incomprensible:

—Tara zum zum, zip, ziap... ¡Sbrafuuuus!

De repente apareció una jaula de hierro, y los pobres hermanos Silver quedaron encerrados dentro. Entretanto, mis perseguidores habían llegado y tenían cara de pocos amigos. ¡Estaba atrapado! ¿Qué podía hacer?

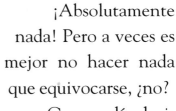

¡Absolutamente nada! Pero a veces es mejor no hacer nada que equivocarse, ¿no?

Como solía decir mi tío Olimpio: «¡Si no quieres cavar, la pala debes guardar!». En esta ocasión, yo no llevaba ninguna pala, pero la idea está clara, ¿no? ¡Y fue lo que me trajo suerte!

Cuando los lobos saltaron sobre mí y Rubin se lanzó en picado, me quedé inmóvil. Después, en el último segundo, me aparté utilizando la famosa maniobra del Paso Doble Lateral que había aprendido en un curso de perfeccionamiento acrobático, y los tres se dieron contra el cristal de la ventana, que acabó roto en mil pedazos. Aproveché la confusión para volar por la sala y esconderme en una esquina del techo. Desde allí podía observar tranquilo a los monstruos y esperar el momento oportuno para pasar a la acción.

Cuando Verruguina los vio entrar por la ventana, los miró con sorpresa y enfado.

—¿Dónde os habíais metido, tontorrones? ¡Llegáis con diez horas de retraso! —gritó a pleno pulmón.

Ellos la miraron avergonzados. A juzgar por sus caras, no entendían adónde los había llevado. Y tampoco esperaban encontrarse a la bruja.

—Lo siento, jefa —refunfuñó Joe.

—¡No es culpa mía! —añadió Rubin como defensa—. Ha sido ese murciélago antipático que me ha robado las gafas en el bar.

—Es verdad —asintió Patty—. Nosotros también nos lo hemos encontrado al salir del cine.

—¿Y qué hacíais en el cine? —preguntó enfadada la bruja—. ¿Y a ti quién te ha dicho que podías irte a un bar? ¡Gandules! ¡Cantamañanas! ¡Os había dicho que vinierais enseguida a casa de Blob!

Los tres escondieron las garras con sentimiento de culpabilidad.

—Es que yo... —empezó Rubin.

—¡Silencio! —lo cortó la bruja—. Ahora tenemos cosas mucho más importantes que hacer. Os echaría de buena gana al caldero, pero necesito vuestra ayuda. Mientras andabais de paseo por ahí, me he encargado del profesor y os aseguro que no nos molestará más. Ahora tenemos que ocuparnos de estos tres pequeños metomentodo.

—¿Puedo darles un sorbito? —preguntó en el acto Rubin, recuperando su aspecto de vampiro y sacando su pajita.

—¡Ni lo intentes! —gritó Rebecca.

—No te preocupes, niña. Tengo planes más relajantes para vosotros... ¡Caldero, ven aquí! —ordenó Verruguina.

El caldero se acercó y se colocó en posición de cocción, con la boca hacia arriba y las cuatro patas plantadas en el suelo.

—¿Dónde está el profesor? ¿Qué le has hecho? —preguntó Martin enfadado.

—Lo verás muy pronto, listillo... —respondió la bruja.

En vista de que la situación era desesperada, Leo intentó la vía diplomática.

—Encantadora señora, es

una lástima usar una olla tan grande para tres bocaditos tan sosos como nosotros. ¿No le parece? Si quiere, puedo darle la receta de la sopa de setas. O si prefiere, la de...

—¡Silencio!

Leo se ofendió un poco, pero se calló inmediatamente.

—Rubin —siguió la bruja—, cinco kilómetros hacia el este encontrarás un panal de avispas. Tráeme diez pares de alas, pero ve con cuidado, las necesito enteras. Vosotros dos, salid ahí fuera a escarbar la tierra, y conseguidme tres tubérculos del sueño perpetuo. ¡Quiero preparar una pócima especial para estos diablillos!

—¡Sí, jefa! —contestaron a coro los hombres lobo.

A Rubin no parecía hacerle mucha gracia tener que ir a cazar avispas.

—Pero esas avispas son venenosas como víboras y

fuertes como osos... —gimió—. Yo solo no podré contra un enjambre entero.

—¿No te da vergüenza? —gruñó la bruja—. ¿Eres el príncipe de las tinieblas y te da miedo un insecto? ¡Harás lo que he dicho, y lo harás ahora mismo! ¿Está claro?

—Sí, jefa —dijo Rubin resignado, adoptando inmediatamente el aspecto de un murciélago.

—Os quiero de vuelta dentro de cinco minutos exactos. Si no, os convertiré a los tres en niños regordetes como él —los amenazó señalando a Leo.

—¡No, por favor! —dijeron los monstruos temblando y saliendo disparados a por los ingredientes.

—¡Bien! Ahora te toca a ti, caldero. ¡Fuego! —invocó Verruguina.

El caldero agitó las asas y se frotó el

trasero de cobre una, dos, tres veces, cada vez más rápido. El roce hizo saltar una, dos, tres chispas, cada vez más grandes, y después empezó a arder un fuego mágico bajo la olla, sin quemar el suelo.

Leo notó un sudor frío.

—¿De verdad no le interesa probar otra receta? ¿Crema de cebolla? ¿Arroz al perejil con patatas?

La bruja le pellizcó su regordete moflete.

—No, gracias. Prefiero regalaros un largo sueño reparador. ¡Ja, ja, ja!

¿De qué estaba hablando? ¡Por todos los mosquitos! La cosa tenía mala pinta. Pero aunque temía por nuestras vidas, no podía desanimarme. En pocos minutos la poción estaría lista y mis amigos no tendrían escapatoria.

¡Agarraos fuerte, porque estamos a punto de volar al mágico reino de Oz! Pero si esperáis encontraros a la dulce Dorothy y a sus compañeros de aventuras, vais muy despistados. Ni el León Cobarde, ni el Espantapájaros, ni el Hombre de Hojalata... Solo os recibirán los **MONOS VOLADORES** más malos de todos los tiempos: ¡los malvados ayudantes de la bruja del Oeste!

MONOS ATREVIDOS...

Los monos voladores al principio son libres. Pero uno de sus jefes desafía a una bruja muy poderosa, y ella decide lanzarles un hechizo que los obliga a cumplir los deseos de quien tenga una capucha mágica dorada. ¿Y quién tiene esa capucha, sino la malvada bruja del Oeste? Sus prisioneros con alas no recuperan la libertad hasta que la valiente Dorothy derrota a la bruja. Los monos voladores se lo agradecen cumpliendo parte de los deseos de nuestra heroína: la ayudan a ella y a sus amigos a cruzar el pantano negro de

la bruja y los llevan al maravilloso mundo de Oz, donde pueden pedir sus propios deseos al gran mago... ¡Y todos viven felices para siempre!

RUBÍES Y ESMERALDAS

En el libro de Lyman Frank Baum, *El mago de Oz*, los famosos zapatitos que abren el sendero hacia el reino de Oz son plateados, no rojo rubí. Además, la Ciudad Esmeralda donde vive el mago es de muchos más colores. En el libro, la bruja mala es blanca como un fantasma, y en la película, en cambio, tiene la piel de color verde. Resumiendo, ¡a veces los directores pintan las cosas como quieren!

12
¿QUÉ MÁS DA UN MURCIÉLAGO QUE OTRO?

o soy un murciélago vanidoso, pero debo reconocer que aquella vez se me ocurrió un plan realmente genial. ¡Y lo hice todo yo solo!

En cuanto Rubin salió por la ventana, pasé como una flecha por detrás de la bruja, que seguía pellizcando la mejilla de Leo, y lo seguí sin que se diera cuenta. ¿Recordáis lo hábil que soy con la pizza acrobática? Pues bien: la idea era darle una pequeña lección a mi enemigo volador. Pero para ello necesitaba algo que pudiera hacer rodar con las alas... Miré a mi alrededor y vi un trapo colgado al sol delante de la ventana. ¡Perfecto! Lo agarré al vuelo y aproveché para coger algunas pinzas de la ropa. Adelanté a Rubin volando por encima de él y lo esperé escondido tras una esquina. Cuando estuvo lo suficientemente cerca, hice rodar el trapo con las puntas de las alas, como si fuera una pizza, y lo lancé hacia el murciélago. ¡Diana! Las alas se le enredaron en la tela y perdió el control. Entonces le quité las gafas en forma de corazón y cerré el trapo con las pinzas de la ropa.

—¡Déjame salir! —berreó él agitándose—. ¡Y devuélveme las gafas! ¡Ladrón!

—Te las devolveré enseguida —prometí—. Pero primero tengo que encerrarte en un sitio seguro.

Volé hasta un contenedor de basura y lo lancé dentro. Después, como soy un murciélago de palabra, metí en el saco las gafas que le había quitado en el bar y me quedé las que tenían forma de corazón. Por último, cerré bien la tapa del contenedor y me fui. Me zampé unos cuantos mosquitos de camino a la casa y me di un merecido aperitivo... pero guardé unas cuantas alas para la pócima de la bruja.

—¡Por una vez eres puntual! —me saludó Verruguina al verme entrar en la sala. ¡Con aquellas gafas era idéntico a Rubin Burp! El plan estaba funcionando.

—¡Dame las avispas! —ordenó la bruja.

Dejé caer las alas en el caldero sin decir ni pío ni... ¡«BAT»!

—Lo has hecho muy bien, murcielagote —me felicitó ella.

—¡Y nosotros también! —dijeron los lobos añadiendo al potingue los tubérculos llenos de tierra.

Verruguina removió la mezcla cuatro veces con la varita mágica mientras pronunciaba un hechizo de remiedo:

—Scatoz... scatoz... ¡BOZ!

La habitación se llenó de un vapor azulado. ¡Apestaba a toalla mojada!

—¡Ya está! —La bruja se frotó las manos—. La pócima está lista. Ahora solo hay que pasarla al rociador. ¿Dónde lo he metido? —El caldero señaló con el asa una puerta cerrada—. ¡Ah, es verdad! —asintió ella. Fue hacia la puerta, la abrió... y detrás apareció el dormitorio de Blob. En la cama había alguien roncando como un niño que se ha pasado el día jugando al aire libre.

Martin lo reconoció al vuelo.

—¡Pero si es el profesor Blob!

—¡Está vivo! —exclamó Rebecca entusiasmada.

—¡Pues claro que está vivo, tontorrones! Es nuestro creador —replicó fastidiada la bruja—. Digamos que solo le he preparado una deliciosa pócima «relajante».

—¿Lo has dormido tú? —preguntó asombrada Rebecca—. ¿Por qué?

—Para impedirle que cometa un grave error —explicó Verruguina mientras salía del cuarto con un perfumador entre manos, esos frasquitos de cristal con una pera de goma que se usaban tiempo atrás para perfumarse. Lo llenó con la pócima del caldero y fue hacia los hermanos Silver.

—¿Qué error? —preguntó Martin.

—¡Basta de charlas! Es la hora de la siesta, niños —concluyó la bruja apuntando con el perfumador para rociar a mis pobres amigos.

Apretó dos veces la pera del perfumador y... ¡nada!

—Aquí pasa algo... —comentó Patty.

—¡Silencio, cotorra! —la hizo callar Verruguina dando un paso hacia la jaula.

Apretó dos veces más: ¡nada!

—La pócima no funciona —dijo Joe—. Ni siquiera bostezan.

¡Pues claro que no funcionaba! Pero yo era el único que sabía que las alas no eran de avispa sino de mosquito normal y corriente.

—¡He dicho que silencio! —exclamó enfadada la bruja rociando las narices de sus prisioneros como una loca.

¡Ahora estaba muy cerca! Me levanté las gafas en forma de corazón, llamé la atención de mi amiga Rebecca y le indiqué con un gesto que agarrase a la bruja.

Ella no se lo pensó dos veces. Sujetó el huesudo brazo de Verruguina y dijo:

—¡El potingue te ha salido rana! ¡Estamos de lo más despiertos!

—¡Y además tenemos mucha hambre! —añadió Leo mordiéndole un dedo.

Volaron mordiscos, pellizcos y arañazos, ¡pero, sobre todo, volé yo! Cogí la varita mágica de la bruja y le di en la cabeza con tanta fuerza que las gafas se me cayeron.

—¿Y tú quién eres? —chilló la bruja—. ¿Dónde está Rubin?

Los lobos corrieron en su ayuda, pero yo fui más rápido y les di con la varita mágica en sus peludas cabezotas.

Los monstruos y la bruja se tambalearon y se agarraron a la jaula para no caerse.

—¡Cuando os avise, les dais un buen empujón! —grité a mis amigos. Después volé hacia el caldero

y le saqué la lengua, como había hecho con el vampiro.

Volvió a funcionar.

El caldero empezó a perseguirme y, justo cuando estaba delante de la jaula, grité:

—¡Ahora!

Rebecca, Martin y Leo le dieron una patada en el trasero a Verruguina y a los dos lobos, que acabaron directos en la boca de la olla con colmillos. ¡Gol!

Después de hablar tanto de monstruos, ¿no sentís curiosidad por saber qué haríais si os encontrarais a uno de carne y hueso?

DIME QUÉ HACES Y TE DIRÉ QUIÉN ERES

Si contestáis con sinceridad, descubriréis cómo sois con los monstruos y personajes semejantes...

1. Es una lluviosa tarde de noviembre y estás tumbado en la cama leyendo un libro (¡escrito por mí, claro!). De repente, un gran aullido corta el aire. ¿Qué haces?

A Te levantas y te asomas a la ventana para ver si algún animal está en apuros.

B Te levantas y haces una ronda por la casa para ver si ha entrado alguien.

C Te metes debajo de la sábana y esperas que no se repita.

2. Si te encontrases delante de tres puertas con los siguientes letreros, ¿cuál abrirías?

A *¡Entra si te atreves!*

B *¿Quieres saber lo que te espera?*

C *Zona monstruosa.*

3. Estás ayudando a papá a ordenar la caja de herramientas y encuentras un martillo con manchas rojas. ¿Qué piensas?

A Hay que tirarlo…, está oxidado.

B Voy a coger una muestra para que la analicen en el laboratorio.

C ¡Socorro! ¿Dónde está el muerto?

4. ¿Cuál es tu plan favorito para las vacaciones?

A Un safari entre animales salvajes.

B Una visita a la Ciudad de las Artes y las Ciencias de Valencia.

C Un viaje a Disneyland.

5. Una sábana llega volando hasta el balcón y choca contra el cristal de la ventana. ¿Qué haces?

A La cuelgas en el tendedero con unas pinzas.

B Vas corriendo a buscar el nanómetro y mides la velocidad del viento.

C Te quedas inmóvil y esperas a que el fantasma se marche.

SOLUCIONES:

Si habéis sumado más A, sois como Rebecca: personas de acción, dispuestas a afrontar los desafíos sin echaros atrás. Cazadores de monstruos.

Si habéis sumado más B, sois como Martin: personas reflexivas que prestan atención a los detalles y no se rinden fácilmente. Estudiosos de los monstruos.

Si habéis sumado más C, sois como Leo: personas tranquilas que evitan meterse en situaciones complicadas. ¡Pero eso no significa que si acabáis en una, no sepáis hacer maravillas! Esquivadores de monstruos.

13

¡TODOS A POR PAMPLINAS!

as peludas patas de los lobos y las piernecillas de la bruja temblaban prisioneras del caldero. Y la olla no podía moverse porque los tres monstruos pesaban un montón. ¡Por fin los habíamos atrapado!

—¡Sacadnos de aquí ahora mismo! —gritó Verruguina, furiosa.

Sin su varita mágica no podía hacer ningún hechizo. Y la varita, en esos momentos, estaba en mi poder.

—Solamente os ayudaremos si tú nos sacas primero de esta maloliente jaula —replicó Rebecca con decisión.

La bruja resopló, derrotada, y no tuvo más remedio que obedecer.

—Tienes que rozar todos los barrotes con la punta de la varita y decir de un tirón: «¡Sgnir, sgnar, fusasbarr!».

Hice exactamente lo que la bruja había dicho y la jaula desapareció.

—¡Fantástico, Bat! —exclamaron Martin y Leo entre aplausos.

Rebecca, en cambio, me lo agradeció con un gran beso en la frente. Después se volvió hacia los prisioneros.

—Ahora os soltaremos. Pero con una condición: tenéis que contarnos por qué habéis dormido a Timothy Blob y qué error estaba a punto de cometer. ¿Vale?

—¡Ni hablar! —gritó la bruja—. No os dejaremos hacer daño a Timothy.

—¿Hacer daño a Timothy? ¡Pero si eres tú quien lo ha dormido! Por cierto, Leo, ve al cuarto a echar un vistazo mientras nosotros nos ocupamos de estos tres.

Leo se fue hacia la habitación del profesor Blob y

nosotros liberamos a los tres monstruos. Después Martin los hizo sentar en el sofá de la sala y empezó a hacer preguntas mientras Rebecca los vigilaba con la varita mágica.

Fue Verruguina quien se encargó de contárnoslo todo.

—Sospechamos enseguida de vosotros —explicó la bruja—. Sabíamos que alguien quería cerrar nuestro querido museo. Cuando os vimos empaquetar los trajes y las pelucas de mala manera y montar aquel lío, comprendimos que trabajabais con aquellos bribones.

—Solo estábamos ayudando al profesor a desmontar el museo. Es un viejo amigo de nuestra madre y queríamos ayudarlo...

—¿A destruir el trabajo de su vida? —lo interrumpió enfadada la bruja—. ¡No os lo permitiremos jamás!

—¿Y ese es el error que queréis impedir? ¿Que cie-

rre el museo? ¿Que firme el contrato con el arquitecto Pamplinas? —dedujo en voz alta Martin, tan avis-
pado como siempre.

—Exacto, chiquillo. Si Blob firma ese condenado
contrato, nos quedaremos sin casa.

—¡Auuuhhh! —aullaron los lobos, desesperados
al pensar en ello.

—Y habéis dormido a Blob únicamente para de-
tenerlo...

—Y está claro que lo han hecho a conciencia
—comentó Leo volviendo del dormitorio—. Ronca
como un oso.

—Mi pócima es muy potente. Tarde o temprano
lo comprobaréis —dijo amenazadora Verruguina—.
¡Vosotros y vuestro insoportable amigo! Aunque di-
gáis que acabáis de conocerlo, estoy segura de que
estáis aliados con él.

—¿Nosotros amigos de Pamplinas? —replicó Rebecca mirándolos alucinada—. ¡Ni soñarlo!

—Ese hombre es más desagradable que un yogur desnatado —añadió Leo fastidiado.

—¡No os hagáis los tontos! —gruñó Verruguina—. A mí no me engañáis.

—Nosotros sabemos elegir a nuestros amigos —explicó Leo—. ¡Y desde luego no llevan zapatos azules!

—¿De verdad no sois sus compinches? —preguntó incrédula la bruja.

—¡Nosotros estamos de parte del profesor Blob! —replicó Martin.

—Pero entonces...

—¡Ha sido todo un malentendido! —concluyó Rebecca bajando la varita.

—¡El malentendido más increíble de la historia! —añadió Martin limpiándose las gafas.

—En fin —aclaró la bruja—, no podemos permitir que Blob firme el contrato. Y la única forma de impedir que quede con Pamplinas es que siga durmiendo.

—Pero no puede dormir para siempre. En algún momento se despertará —hizo notar sutilmente Rebecca.

—Lo sé —admitió desconsolada la bruja—. Pero no se me ocurre una idea mejor...

—¡A mí sí! —dijo Martin muy convencido.

—¿Cuál? —preguntaron a coro los tres monstruos.

—¡Tenemos que asustar a Pamplinas! ¡Haremos que salga por piernas y recuperaremos el museo!

La bruja encogió los hombros.

—Los viejos monstruos ya no asustan a nadie,

muchacho. Lo dijisteis vosotros mismos la primera vez que estuvisteis en nuestra casa, ¿te acuerdas?

—Pero ahora ya no sois unos viejos monstruos —dijo Rebecca—. Habéis cambiado. Y, en vista de cómo ha reaccionado la gente del cine y del bar, dais muchísimo miedo.

—La chica tiene razón, Verruguina —intervino Joe—. Cuando perseguíamos al murciélago, la gente chillaba de miedo. Como en los tiempos de *La venganza de los tomates lobo*.

—¡Sí, sí! Se llevaban las manos a la cabeza, boquiabiertos —dijo Patty entusiasmada.

Verruguina la miró, pensativa.

—Y solamente estábamos Patty y yo... ¡Imagina el efecto que haríamos si estuviéramos todos juntos! —exclamó Joe.

—¿Sabéis qué os digo? —dijo la bruja poniéndose en pie—. ¡Que me habéis convencido! ¡Iremos jun-

tos a por Pamplinas! Pero tenemos que darnos prisa, porque ese canalla volverá pronto a la carga. Aunque esta vez no se encontrará con tres niños simpáticos sino con... ¡UN VALIENTE EJÉRCITO DE MONSTRUOS ATERRADORES!

—¡Sííí! —exclamamos todos a la vez.

Una nueva energía hizo vibrar el aire.

Nos preparábamos para una gran batalla, codo con codo. Y no íbamos a rendirnos ante nadie. (¡Menos aún ante un tipo con zapatos azules!)

—Por cierto —dijo Verruguina—, ¿dónde están nuestros hermanos monstruos?

—Yo... ejem... sé dónde está el vampiro —dije en voz alta mientras todos se volvían hacia mí.

¡Hola, encantado de volver a veros! Aunque no puedo decir lo mismo del monstruo que voy a presentaros..., porque nadie lo ha visto jamás. Pues sí, debajo de las vendas que lo protegen no hay nada que ver porque es **EL HOMBRE INVISIBLE**. Este personaje nace de un libro escrito por Herbert George Wells en 1881 y cuenta la terrible historia del profesor Griffin, que inventa un compuesto químico capaz de hacer invisibles las cosas. Para comprobar si también funciona con los seres humanos, lo prueba en él mismo y se vuelve transparente.

EL JUEGO TIENE GRACIA SI NO SE ALARGA

¿Os imagináis la de bromitas que podríamos gastar si fuéramos invisibles? ¡A condición, claro, de que pudiéramos aparecer en los momentos importantes! Pero, por lo visto, el brebaje del doctor Griffin tiene un efecto permanente... Así que nuestro monstruoso héroe acaba cansándose de que nadie lo vea, y decide buscar un antídoto para la invisibilidad. Mientras tanto, se tapa la cara con vendas, se pone guantes, gafas de sol, una extraña gabardina y unas botas negras. Con esa ropa tiene un aspecto un poco ridículo, pero al menos se asegura de que la gente se fije en él...

LOS INVENTORES NO INVENTAN NADA

Hay muchos animalitos que se vuelven invisibles para defenderse de sus depredadores, y sin necesidad de inventos complicados. ¿Cómo lo hacen? Se adaptan a su entorno. Hay varias estrategias: pueden adoptar el color de lo que los rodea, para no llamar la atención y que su depredador no los vea (mimetismo críptico o camuflaje); o pueden fingir que son un animal peligroso (mimetismo batesiano). Un ejemplo curioso es el cangrejo fantasma, un crustáceo que se queda inmóvil entre los trozos de corales y de conchas, y así no se lo distingue. Algunas mariposas son un ejemplo de mimetismo batesiano: sus alas tienen unos dibujos que parecen ojos amenazadores, y los que se acercan para comérselas creen que un animal feroz los mira con malas intenciones... ¡y salen con el rabo entre las patas!

14

TIBIAS Y PIRUETAS

ubin Burp salió cubierto de papeles, restos de comida y otras porquerías. Se había pasado más de media hora encerrado en el contenedor, rodeado de basura, y estaba de un humor de perros. Levantó el vuelo agitando un hueso de pollo y dijo, amenazador:

—Te voy a hacer picadillo, maldita rata voladora.

—¡Quieto, Rubin! —exclamó Verruguina que, siguiendo mis indicaciones, nos había acompañado junto con los dos lobos. Los hermanos Silver también estaban allí. Yo, prudente, me había quedado detrás. ¡Aquel tipo no se alegraba nada de verme!—. Ha sido un malentendido —le explicó la bruja—. Ya lo hemos aclarado todo. El murciélago y los chicos son nuestros amigos.

—¡Yo no tengo amigos que roban gafas! —contestó él muy enfadado—. ¡Los muerdo!

—Pero te las ha devuelto —le dijo Rebecca—. Vamos, haced las paces. Los murciélagos se tienen que ayudar, ¿no?

Levanté un ala en señal de tregua. Rubin me miró. Seguía ofendido.

—Ni soñarlo...

—¡No te hagas el vampiro caprichoso! —lo regañó la bruja.

—Pero tiene que pedirme perdón.

—Siento haberte robado las gafas —dije yo enseguida—. ¡Creía que eras un monstruo malvado!

—Mmm... vale, te perdono —dijo él al final, alargando el ala—. Pero la próxima vez que me robes algo, te chupo toda la sangre, ¿entendido?

—Entendido —repetí sonriendo con timidez.

Chocamos las alas ante la mirada satisfecha de monstruos y niños.

En ese momento la aguda vista de Rebecca vio un gran cartel pegado en la pared de enfrente. Era el anuncio de una prueba para bailarines.

SE BUSCAN BAILARINES PARA LA OBRA *EL FANTASMA DE LA ÓPERA*. LAS PRUEBAS SERÁN HOY EN EL TEATRO REAL DE FOGVILLE.

—*El fantasma de la ópera...* parece una obra perfecta para monstruos.

—¡Se me ha ocurrido una idea genial! —dijo Martin—. Verruguina, ¿verdad que uno de los monstruos es un esqueleto enamorado de la danza clásica?

—¡Sí! El primer bailarín de *Menudo espanto*.

—¡Tenemos que encontrarlo! Es una pieza fundamental de mi plan...

—Si ha visto el cartel, seguro que ha ido corriendo al Teatro Real. ¡Me apuesto los zapatos de punta!

—¡Perfecto! La idea es esta...

Nuestro cerebrín explicó tan bien lo que tenía pensado que incluso Joe y Patty lo entendieron. Los dos lobos aprobaron el plan con largos aullidos.

—¡Eres listo, chico! —lo felicitó Verruguina—. ¿Dónde está el teatro?

—A tres manzanas de aquí. Unos veinte minutos en bici.

—¡No tardaremos ni uno! —prometió la bruja. Y pronunciando una palabra mágica, tocó con la punta de la varita la peluda frente de los lobos y después la de los hermanos Silver. Los cinco se miraron alucinados cuando empezaron a... ¡flotar en el aire!

—¡Podemos volar! —exclamó encantada Rebecca, cruzando el cielo como una flecha.

—¡Mamaíta! —gimió Leo agarrándose a la mano de su hermano mayor—. ¡Que me caigo!

—No tengas miedo, chico —lo tranquilizó Verruguina guiñándole el ojo—. Volar es un juego de niños. ¡Mira qué bien lo hace tu murciélago! —Después sopló la varita y... ¡PUF!, se convirtió en una escoba. Entonces la bruja se montó encima y dijo—: ¡Guíanos tú, Bat Pat!

Y así, como por arte de magia, me convertí en el capitán de una tropa muy curiosa formada por dos lobos voladores, tres niños rápidos como flechas, un murciélago vampiro y una bruja montada en una escoba. Pensé en mi primo Ala Suelta. ¡Si pudiera verme en ese momento, se sentiría orgullosísimo de mí!

Guié mi tropa como un auténtico capitán, evitando los obstáculos y manteniendo la formación incluso a alta velocidad. Cada vez que volvía la vista atrás, me cruzaba con la mirada entusiasmada de mis amigos y sentía tal felicidad en el corazón que no

tengo palabras para describirla... ¡Precisamente yo, que soy escritor! Fue un vuelo emocionante. Lástima que, como había previsto la bruja, solo durara un minuto..., y que lo que nos esperara en tierra fuera mucho menos divertido.

Nos colamos en el teatro por la puerta trasera y nos sentamos en la oscura platea. El escenario estaba lleno de bailarines disfrazados de esqueletos. Todos

llevaban un peto con una gran letra. Salvo eso, era muy difícil diferenciarlos. ¿Estaba entre ellos nuestro amigo? Verruguina lo reconoció en el acto.

—Es el de la letra H. ¿Lo veis?

Observamos a los bailarines y vimos que uno de ellos bailaba monstruosamente bien. Era él: ¡Yves Piruetas! Ahora solo nos quedaba conseguir que bajara del escenario y se viniera con nosotros.

Delante de los esqueletos había un bailarín sin disfraz. Todos los aspirantes tenían que repetir

sus pasos. El director, frente al escenario, decía quién se podía quedar y quién estaba eliminado. «R, Z, L, gracias. Podéis iros.» Los demás seguían bailando.

De repente, oímos una voz en el fondo de la sala, que susurraba unas palabras en un idioma desconocido. Solo nos dimos cuenta nosotros. Después la voz se calló y uno de los bailarines del escenario cayó al suelo lanzando un grito: «¡Ay!». Tobillo torcido. Fin de la prueba.

Cuando los aspirantes empezaron a bailar otra vez, la misteriosa voz repitió su inquietante cantinela. A los poco segundos se cayó otro bailarín, quejándose y agarrándose la pierna. El pobrecillo tuvo que retirarse porque se había hecho daño en la rodilla.

—¡Tened cuidado! —les advirtió el director—. Volvemos a empezar: cinco, seis, siete, ocho...

Pero antes de que el hombre pudiera acabar, sucedió de nuevo lo mismo.

La voz recitó su tenebrosa cantinela y acto seguido otro desgraciado bailarín acabó en el suelo.

—Vamos a echar un vistazo ahí al fondo —sugerí entonces a Rebecca.

Me habría encantado echarme una siestecita en aquella relajante oscuridad, pero acababa de ver algo que me había quitado el sueño en un batir de alas: dos ojos amarillos habían mirado de repente en nuestra dirección, justo cuando la voz murmuraba su malvada cantinela...

EL LABORATORIO DE LEO

Os presento a un personaje que sembró el pánico en todo el mundo: el pez asesino que llegó a las pantallas en 1975 con la película *Tiburón*. No lo interpretó ni un actor ni un muñeco, sino un robot. El director, Steven Spielberg, hizo construir tres robots de tiburón que podían nadar y hacer algunos movimientos básicos. Por desgracia, los tres se estropeaban continuamente porque el agua del mar oxidaba los mecanismos, y el rodaje de la película se convirtió en una auténtica pesadilla.

DOS NOTAS DE OSCAR

Cuando el tiburón se acercaba a una presa, la tensión aumentaba gracias a una inquietante música de solo dos notas (mi y fa) que se alternaban cada vez más rápido, a medida que la bestia se preparaba para el ataque. Todo terminaba con un silencio roto por los gritos espeluznantes de las víctimas. Cuando Spielberg oyó la música, creyó que era una broma y soltó una carcajada. Por suerte cambió de idea, porque ganó el Oscar a la mejor banda sonora y hoy en día sigue siendo famosa en todo el mundo.

BOCADO DE TIBURÓN

¡Y ahora una recetita con escamas!

INGREDIENTES:

- 2 latas de atún de 160 g
- 4 cucharadas de queso parmesano rallado
- 4 cucharadas de pan rallado

- 2 huevos
- 3 zanahorias
- Zumo de limón
- 12 almendras
- Un puñado de aceitunas sin hueso
- Un puñado de alcaparras
- Sal y pimienta
- Cebollino

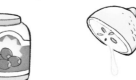

PREPARACIÓN:

Escurrid bien el atún de las latas y vertedlo en una batidora con los huevos, el parmesano, el pan rallado y una pizca de sal y pimienta. Batidlo todo y después

añadid las aceitunas y las alcaparras. Volved a batirlo todo unos segundos. A continuación, verted la mezcla en una hoja de papel de aluminio, envolvedla y atad los extremos con un cordel, como si fuera un caramelo. Hervid en agua el paquetito durante media hora y después dejad que se enfríe. Forrad una bandeja con papel de aluminio y moldead el paquetito hasta darle forma de pez con la boca abierta. Pelad las zanahorias, cortadlas en juliana y colocadlas sobre el cuerpo del pez, a modo de escamas. Después dibujad las aletas y la cola con el cebollino y colocad las almendras a lo largo de la boca, como si fueran dientes puntiagudos. Meted la bandeja en la nevera durante unas horas y... ¡a darle un buen bocado!

15
LA MALDICIÓN
DE LA MOMIA

Pero ¿quién se escondía en las últimas filas del teatro? Precisamente la momia del Museo de los Conjuros, la que había lavado las vendas en el cuarto de baño de los Silver.

Martin, Rebecca y Leo, que todavía no habían visto aquellos ojos, por poco chillaron del susto. Pero no fueron los únicos que tuvieron que contenerse. Verruguina también tuvo que hacer un esfuerzo para no levantar la voz.

En cuanto vio a la momia, se enfadó un montón y murmuró furiosa:

—¡Bianca Rolling! ¿Te parece buen momento para ir al ballet?

—No he venido al ballet —susurró ella—. Estoy aquí para ayudar a Yves a pasar la prueba... —explicó para justificarse—. ¡Ya sabes que las maldiciones son mi especialidad! Y tú, ¿desde cuando te has convertido en una canguro? ¿Quiénes son estos?

—Te presento a Rebecca, Martin y Leo. Y este de aquí es Bat Pat.

—¡Un murciélago! —dijo la momia sonriendo con su boca desdentada—. En mi tumba había un montón...

—Sí, y son amigos nuestros —le explicó Verruguina—. Han tenido una idea genial para salvar el museo...

Martin volvió a explicar su plan. A Bianca también le encantó. ¡Sus ojos amarillos se iluminaron como bombillas! Solo quedaba convencer a Yves de que se uniera al equipo anti-Pamplinas.

—No va a ser fácil conseguir que baje del escenario —dijo la momia—. ¡Para ese montón de huesos, la danza lo es todo!

—Entonces solo podemos hacer una cosa... —añadió Verruguina, pensando en voz alta—. Tienes que lanzarle una maldición para que lo eliminen.

—¡No! ¡Eso sí que no! —protestó Bianca.

—Una cosita de nada, algo sin importancia... —sugirió Joe tímidamente.

—Como una mota de polvo en el ojo —propuso Patty.

—¡Pero si Yves no tiene ojos!

—¿Y una uña torcida?

—¡Tampoco tiene uñas!

—¿Un ataque de tos?

—¡No tiene pulmones!

—Ya sé —exclamó la bruja—. Esperadme aquí...

Se deslizó silenciosamente entre las butacas, oculta en la oscuridad, y se acercó al director. Le tocó la cabeza con la varita y le susurró al oído:

—Ahora dirás lo que yo te diga. ¿Entendido?

El director asintió, atontado.

—Letra H... —dijo Verruguina.

—Letra H... —repitió él.

Yves levantó el hueso del hombro y dijo:

—Sí, soy yo.

—Gracias, puedes irte —susurró Verruguina.

—Gracias, puedes irte —repitió el director.

El pobre Yves sacudió desconsolado la calavera, se desató el peto de las costillas y bajó del escenario tristísimo.

Cuando alguien está tan triste, solo puede consolarlo una cosa. ¿Sabéis cuál? ¡El abrazo de un amigo, evidentemente! Lo esperamos a la salida, y lo primero que hicimos fue hacerle crujir todos los huesos a base de achuchones. (Una vez hechas las presentaciones, lo abrazamos incluso nosotros. ¡Brrr! ¡Qué impresión!) Después le explicamos qué pasaba.

—En el fondo es culpa mía —dijo después de escucharnos—. Habíamos quedado que recuperaría el hueso que estaba en casa de los Silver y después iría directamente a casa de Blob. Pero cuando he visto

el anuncio, he pensado que no volvería a tener una oportunidad como esa.

—La verdad es que venir al teatro ha sido útil. Mientras te miraba, he comprendido una cosa, Yves.

—¿Qué, Penélope?

—Que, para asustar a Pamplinas, tendremos que montar un espectáculo. ¡Un espectáculo monstruoso! Y hemos de participar todos.

—Pero nosotros no somos monstruos... —objetó Rebecca.

—No, aún no... —replicó Verruguina con aire pillín.

—No querrá transformarnos en criaturas horripilantes, ¿verdad, encantadora señora? —preguntó Leo un poco alarmado.

—No, solo quiero enseñaros lo que contiene un viejo baúl que está escondido en el almacén del museo. Cosas de lo más sofisticadas. Nada de pelucas cursis o truquitos baratos... Dentro de ese baúl están los efectos especiales más impresionantes del cine de terror.

—¡Eso sí que me gusta! —dijo Leo entusiasmado—. ¿A qué estamos esperando?

La bruja tocó a Bianca e Yves con la varita mágica.

—¡Adelante, Bat! —exclamó Verruguina—. ¡Volvemos al museo!

Me puse al frente de mi tropa de monstruos y niños voladores, y cruzamos el cielo unidos como un auténtico batallón aéreo... ¡Ay, si me hubiera visto mi primo Ala Suelta!

¿Os gustan las lagartijas? ¿Esos pequeños reptiles ágiles y graciosos? A mí me encantan... ¡hasta que los alcanza un rayo atómico! Como le sucedió al monstruo que estoy a punto de presentaros: viene de Japón, pesa 60.000 toneladas y se llama **GODZILLA**. Esta bestia feroz es capaz de destruir una ciudad entera. Sus armas son: los rayos radioactivos, el aliento atómico y las olas nucleares... ¡Sálvese quien pueda!

HOMBRE CON PANZA, MONSTRUO DE IMPORTANCIA

El nombre «Godzilla» es la versión occidental de la palabra «Gojira», el apodo de un señor muy gordo que trabajaba en Toho (la gran productora japonesa que inventó Godzilla). «Gojira», de hecho, es la unión de dos palabras: «gorila» y «kujira», que en japonés significa «ballena».

EL JUEGO DE GOJIRASAURO

¿Una tarde aburrida? ¿No sabéis cómo pasar el rato? Pues haced como el gojirasauro Godzilla: ¡jugad con la cola! Solo necesitáis un par de amigos y un jardín. Todos los jugadores tienen que ponerse un pañuelo en el pantalón y dejarlo colgar como si fuera una cola. El juego consiste en intentar quitarse la cola unos a otros. El que se queda sin cola está eliminado. El que coge el pañuelo a otro tiene que ponérselo en el pantalón, al lado del suyo. Si a alguien se le cae el pañuelo, los jugadores eliminados pueden cogerlo y volver a jugar. Gana quien los consigue todos. Preparados, listos... ¡ya!

16

EL BAÚL
DE LOS TESOROS

or aquí —nos dijo Joe señalando una ventana rota. Los monstruos habían roto el cristal para escapar del museo la noche anterior, cuando habían cobrado vida repentinamente.

Entramos uno a uno y fuimos al almacén. Entonces Verruguina hizo aparecer un gran candelabro con diez velas que iluminaron la habitación con su tembloroso resplandor. Nos dijo que nos sentáramos alrededor de un viejo baúl cubierto de polvo y preguntó:

—¿Estáis listos para transformaros?

Los hermanos Silver se morían de ganas y yo sentía curiosidad por ver qué disfraces tenía pensados nuestra terrorífica modista.

—Rebecca será mi joven ayudante mágica —proclamó la bruja sacando del baúl un sombrero puntiagudo con una borla en forma de araña en la punta. Se lo colocó en la cabeza y le dijo que tirara de la araña. Del sombrero salió un chorro de vapor negro como el carbón.

—¡Impresionante! —exclamó ella aplaudiendo.

—Es el efecto especial que utilizamos en una vieja película mía, *La noche de las brujas malvadas*. Con este truquito rocié a unos cien niños malos..., así que ten cuidado y úsalo solo con Pamplinas, ¿vale?

—¡A sus órdenes, jefa! —contestó Rebecca.

—Ahora tú, Leo. —Verruguina le dio un delantal sucio y apestoso—. Este disfraz era del protagonista de *Menuda escabechina, tararí tararina*. El cocinero malvado siempre llevaba encima estos dos afilados cuchillos. Si los frotas entre ellos, el chirrido te pone la piel de gallina. Pero no te aconsejo que lo pruebes ahora. ¡Podrías arrepentirte!

Leo cogió los cuchillos atemorizado y sin ninguna intención de desobedecer.

Después le llegó el turno a Martin.

—Creo que podrías convertirte en un monstruo de Frankenstein perfecto —opinó Verruguina mostrándole una chaqueta de hombre talla extragrande—. Las mangas tienen unos pulsadores: si los aprietas, puedes lanzar pequeñas sacudidas eléctricas al enemigo.

Martin se puso la chaqueta satisfecho. Le quedaba enorme, pero llegaba a los pulsadores y el efecto era de lo más... ¡auténtico! Mientras lo mirábamos de pies a cabeza, Patty sacó del baúl una maletita con cosméticos.

—Con un poco de maquillaje y una cicatriz de

mentira, estarás feísimo —gruñó el monstruo cogiendo un lápiz violeta.

—Eh... gracias —dijo Martin.

—¡Ya ves! —replicó Patty mientras le dibujaba un corte perfecto en el cuello—. También les daré unos retoques a Rebecca y Leo... Y, si os parece bien, podría encargarme del murciélago...

Yo empecé a temblar.

—Estaba pensando en un maquillaje blanco... blanquísimo... ¡fantasmagórico!

¡Por todos los mosquitos! ¡Quería convertirme en un murciélago fantasma!

—Es un disfraz casi perfecto... —asintió la bruja buscando dentro del baúl—. Solo le falta una tela sangrienta.

Y me dio una gran sábana manchada de rojo. ¿Era sangre de verdad o pintura? Preferí no preguntar y me la puse.

¡Brrr! ¡Me daba miedo a mí mismo!

—Y otra cosita más... —intervino Verruguina—. Habéis dicho que Bat Pat es escritor, ¿verdad?

—¡Uno de los mejores! —asintió Leo con firmeza.

—Muy bien. —La bruja se frotó sus huesudas manos—. ¿Has escrito alguna vez un guión, amigo?

¡Hola, expertos de los monstruos! Ahora que sois unos terroríficos especialistas, poned en marcha las neuronas y resolved este fantástico juego de **PALABRAS CRUZADAS**.

VERTICALES

1. ¿Cómo se llama la criatura mitológica mitad hombre y mitad toro?
2. La encuentras en el mar y en las ambulancias.
3. Podría hundir un barco entero con sus ocho brazos...
4. Pez asesino que sembró el pánico en todos los cines del mundo.
5. ¿Quién es el padre de todos los vampiros?
6. ¿Qué bestia feroz es capaz de destruir una ciudad entera?
7. ¿Cómo se denomina al conjunto de piezas que da consistencia al cuerpo de los animales vertebrados?
8. ¿De quién tienes que guardarte las espaldas las noches de luna llena?
9. ¿Cómo se llama el perro que vigila el mundo de los muertos?

HORIZONTALES

10. ¿Cuál es el transporte favorito de las brujas?
11. ¿Qué monstruo cobra vida gracias a una descarga eléctrica?
12. ¿Qué tiene en la boca el caldero de la bruja Verruguina?
13. Reino mágico donde os recibirán los monos voladores
14. ¿Cómo se llamaba el submarino del capitán Nemo?
15. ¿Quién era el rey de todos los dinosaurios?
16. ¿Qué animal es considerado en China un símbolo de sabiduría y bondad.
17. Están muertos pero caminan. ¿Quiénes son?

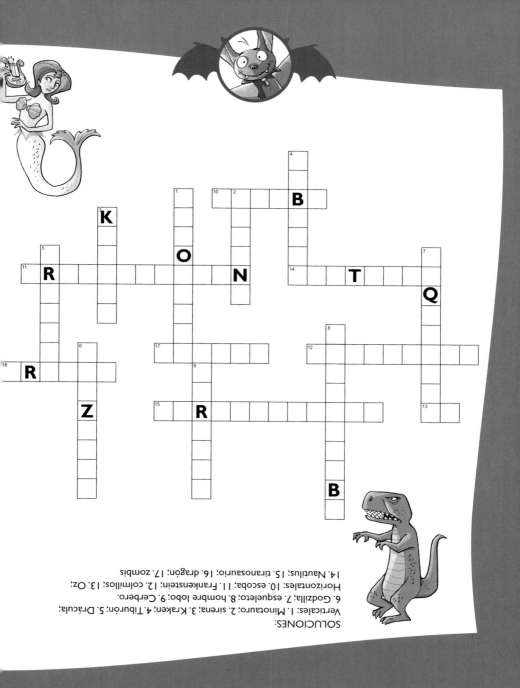

SOLUCIONES:
Verticales: 1. Minotauro; 2. sirena; 3. Kraken; 4. Tiburón; 5. Drácula; 6. Godzilla; 7. esqueleto; 8. hombre lobo; 9. Cerbero.
Horizontales: 10. escoba; 11. Frankenstein; 12. colmillos; 13. Oz; 14. Nautilus; 15. tiranosaurio; 16. dragón; 17. zombis

17
EQUIPO...
¡AL ATAQUE!

olgado cabeza abajo en el techo del museo, envuelto en la oscuridad y con aquella sábana sangrienta, por primera vez en mi vida iba a tener que asustar a alguien. ¿Y si Pamplinas se daba cuenta de que era una actuación?

Estiré las orejitas y oí los pasos de nuestra víctima. Hicimos un poco de ruido para llamar la atención del arquitecto, que entonces entraba en el museo y se acercaba a la primera escena preparada por Verruguina: la catarata de sangre.

Los focos se encendieron como por arte de magia y enfocaron a Joe y Patty, que se abalanzaron sobre el pobre Pamplinas, gruñendo con gesto feroz. Después, con sus afilados colmillos, abrieron de un mordisco las latas de salsa de tomate y las lanzaron contra el arquitecto.

El hombre, arrastrado por aquella ola roja y resbaladiza, se dio un buen susto. Pero se recuperó casi al instante.

—¡Déjate ya de tonterías, Timothy Blob! ¿Me estás escuchando?

—¡Aquí dentro no te puede oír nadie! —rugió Joe—. ¡Estás atrapado, Pamplinas!

El arquitecto se quedó inmóvil, receloso.

—¿Es que tienes miedo de dos viejas estatuas llenas de polvo? —añadió Patty enseñando sus garras de lobo.

En ese momento la cara de Pamplinas estaba ya un poco pálida.

Intentó huir, pero resbaló en el charco de salsa de tomate y cayó al suelo.

—¡Ay! ¡Basta, Blob! ¡He dicho que basta! ¿Entendido? —gritó.

—Deberías bajar la voz. Aquí hay gente que descansa en paz —dijo Rubin asomándose por una lápida del decorado de su película.

—Pues sigue descansando, monigote. Yo voy a

hablar con tu inventor —replicó Pamplinas intentando levantarse.

—Ahora ya me he despertado y empiezo a tener hambre... —dijo el vampiro agitando su pajita asesina y mordiendo al intruso en el cuello.

El arquitecto se dio un susto de muerte. No se esperaba que el monstruo de mentira pudiera morderlo.

—Ahora sí que estás exagerando, Blob. Apágalo todo y sal. Tenemos un acuerdo, ¿recuerdas?

—El problema es... —canturreó Yves entrando en escena al son de su música— que Timothy Blob no puede apagarnos. ¿Ves algún botón en mi esqueleto? —preguntó haciendo una pirueta.

—No —resopló el hombre—. Pero podría ser otro de sus vulgares trucos.

—No es un truco, estoy vivo. ¿Lo entiendes?

—¡Pues ve a decirle ahora mismo a tu propietario que tiene que venir a firmar el contrato! —chilló Pamplinas.

—¿Qué contrato? Yo no veo ningún contrato...

Pamplinas sacó un papel del bolsillo y lo agitó en el aire, cada vez más nervioso.

—¡Aquí está!

De repente, una larga venda blanca con un lazo de vaquero cruzó la sala como una flecha, se cerró alrededor del papel y se lo arrancó de las manos.

—¡Eh! ¿Qué haces? —gruñó el hombre.

—¿Aún no lo has entendido? —preguntó Bianca con el contrato entre las manos—. Te creía más listo.

—¡Devuélveme eso ahora mismo! —gritó él lanzándose sobre la momia—. ¡O te deshago a tiras, muñeca de trapo!

—¡Eh, vaya modales! —lo regañó Rebecca, armada con su sombrero disparacarbón. Apuntó hacia aquel arquitecto grosero y tiró de la arañita. Una nube negra lo envolvió de pies a cabeza.

—¡Maldita niña! —exclamó Pamplinas, furioso—. ¡Cof, cof! —tosió—. Te vas a enterar.

—¡Eh, cabezota! —intervino Leo agitando un rodillo de amasar—. ¡Cuidado con lo que dices!

—¿O qué? —lo desafió Pamplinas.

—O te cortaré en lonchitas. —Dicho y hecho: desenfundó los dos cuchillos y empezó a frotarlos entre ellos.

El sonido fue tan escalofriante que a todos se nos puso la piel de gallina. A mí incluso se me descon-

troló el radar durante un segundo.

Pamplinas se tapó las orejas con las manos y dio marcha atrás asustado.

Iba todo de maravilla. Solo faltaba Martin y después me tocaba a mí. ¡Estaba muy emocionado! ¡No todos los días tienes un papel como este!

Siguiendo el guión (¡mi guión!), el mayor de los Silver aprovechó la ocasión y fue empujando a Pamplinas hacia el punto X, a ritmo de pequeñas pero molestas sacudidas eléctricas.

—¡Eh, eso no da miedo, hace daño! —se quejó el arquitecto retrocediendo atemorizado.

Cuando estuvo justo debajo de mí, Martin dio la señal.

—¡Ahora, Bat!

Me lancé en picado sobre él, sujetando la sábana

entre las alas. Después giré a su alrededor y lo envolví como a un salchichón.

Leo vino con una cuerda y acabó el trabajo atándolo bien fuerte con la ayuda de los monstruos. En un batir de alas, nuestro enemigo se convirtió en... ¡una momia!

Bianca fue hacia él con aire despectivo y dijo:

—Eres feo incluso así.

—¡Como si tú fueras tan guapa, niña! —replicó Pamplinas.

—¡A callar! —ordenó Verruguina acercándose y apuntándolo en la nariz con la uña—. Tú y yo tenemos cosas importantes de que hablar, ¿verdad?

—¡Yo no hablo con marionetas!

La bruja soltó una carcajada terrorífica y dijo:

—¡Te aseguro que cambiarás de idea! Tú y yo tendremos una larga y bonita charla, como buenos amigos...

—¡Yo no tengo amigos!

—Me lo imaginaba... —asintió Verruguina—. Yo, en cambio, tengo muchos. Y ahora te presentaré a uno al que es mejor no hacer enfadar.

Después chasqueó los dedos para llamar a su caldero, que llegó rechinando los colmillos como un perro feroz.

—¿Y e-eso qué de-demonios es? —tartamudeó Pamplinas, empezando a pensar que tenía una pesadilla.

—Te presento a uno de mis amigos. Y está hambriento...

—¡No... no me lo creo! —exclamó, incrédulo, el arquitecto.

—No te preocupes, podrás verlo con tus propios ojos...

Dicho esto, Verruguina metió a Pamplinas en el sarcófago que tenía justo detrás suyo, se sentó en una lápida y puso en escena la última parte de su espectáculo... ¡el gran final!

¡Auuuhhh, amigos! Os saludo con un aullido para daros la bienvenida al mundo de los **HOMBRES LOBO**. Estas criaturas nacieron de libros y textos muy antiguos. En su recopilación *Las metamorfosis* (VIII d. C), Publio Ovidio Nasón cuenta historias sobre hombres que se transforman en animales. Una de ellas es la de Licaón, un tontorrón al que Zeus convierte en un feroz lobo. Desde entonces, los hombres lobo no han cambiado nada: la luna llena transforma su cuerpo humano en uno monstruoso, y las balas de plata los matan... Como se suele decir: «¡Genio y figura hasta la sepultura!».

EN LA BOCA DEL LOBO

Los hombres lobo llegan a la gran pantalla en 1941 con *El hombre lobo*, una película que se sitúa en Gales, Reino Unido. El protagonista, para defender a una amiga del ataque de un hombre lobo, golpea al animal en la cabeza con el mango de plata de un bastón. Pero la película que hizo famosos a nuestros colmillos favoritos es de 1981. La dirigió John Landis y se titula *Un hombre lobo americano en Londres*. Cuenta la historia de dos estudiantes americanos que viajan a Inglaterra y, una noche de luna llena, en pleno bosque, son atacados por un hombre lobo. El éxito de la película se debe en buena parte a su gran sentido del humor. La escena en la que los dos amigos se bajan de una camioneta llena de ovejas y el pastor se despide con un profético «¡A la boca del lobo»!, es genial. También hay una serie nueva muy popular, *Crepúsculo*, que recupera un tema muy conocido entre los fans de las criaturas tenebro-

sas: la lucha entre hombres lobo y vampiros. En *Van Helsing*, de 2004, además de estas criaturas, también aparecen el doctor Jekyll y Mister Hyde y ¡nada más y nada menos que el monstruo de Frankenstein!

QUITA LAS GARRAS DE ESAS GALLINAS

Muy poca gente sabe que, además de la plata, hay otro remedio contra los hombres lobo. Se llama «acónito», es de color azul y muy venenoso... ¿Estáis pensando en una serpiente? Pues os equivocáis. Es una flor alpina que crece entre las rocas: tiene un tallo de hasta 20 centímetros y unas flores azul brillante en forma de campanilla. Pero no os dejéis engañar por su aspecto, es una planta muy venenosa. Tanto que, en la antigüedad, los pastores y los granjeros la utilizaban para envenenar a los lobos y a los zorros. Por eso la llamaban «matalobos»...

18
UN CUENTO
HORRIPILANTE

 a bruja se aclaró la garganta y se preparó para su gran representación: la de la abuelita que le cuenta el cuento de buenas noches a su revoltoso sobrino... ¡El que me había pedido que escribiera en el último momento!

Martin, Leo y Rebecca se sentaron a sus pies, simulando que estaban pendientes de sus palabras.

—Érase una vez un niño con zapatos azules y una narizota llena de pecas... —empezó Verruguina mirando con aire malvado a Pamplinas—. Era un niño muy mandón y se creía que todo era suyo... Un día vio una casa que le gustaba mucho, y decidió que la quería, sin saber que allí vivían unos viejos monstruos. Los monstruos intentaron hacerle cambiar de idea, pero él era tan tontorrón que no los escuchó... ¡igual que tú!

—La verdad es que os estoy escuchando... —resopló Pamplinas.

—Y haces bien, porque ahora viene la parte divertida. La parte en que los monstruos se quedan sin casa y se van a vivir a la del niño de los zapatos azules. ¿Quieres oírla?

—¡No podéis hacerlo! ¡No podéis mudaros a mi casa!

—Sí que pueden —intervino Rebecca—. El vampiro vendrá a verte todas las noches y no te dejará dormir ni un segundo. El caldero te morderá los tobillos cada vez que llegues a casa, y se orinará en todas las esquinas. El esqueleto te dejará sin agua caliente porque se bañará cuatro veces al día, y la momia destrozará tu bonita ropa para hacerse una buena provisión de vendas tremendas.

—¡Nooo! ¡La ropa nooo! —suplicó Pamplinas.

—¡Y la cosa no acaba ahí! —Leo tomó la palabra mientras afilaba sus enormes cuchillos—. Los lobos

y yo estaremos siempre en la cocina y nos comeremos todo lo que compres. ¡Y yo te perseguiré cada
vez que intentes acercarte a la nevera!

—Estáis de broma, ¿no?

—Te gustaría, ¿eh? —siguió Martin—. ¡Pues ha-
blamos muy en serio! Convertiremos tu vida en una
pesadilla y te arrepentirás amargamente de haber
comprado nuestra casa. ¡Pero será demasiado tarde,
porque ya no te dejaremos vivir tranquilo nunca más!

—¡Puedes apostar lo que quieras! —asintió Rebecca.

—¡Viviremos todos juntos en casa de Pamplinas!
—exclamó Patty—. ¡Y nos divertiremos un montón! ¿Verdad, arquitecto?

—¡Jamás de los jamases! —gritó Pamplinas temblando ante la idea—. ¡Romped ese contrato ahora
mismo!

—¿Qué pasa, amigo? ¿Tienes miedo de cuatro
monstruitos? —le preguntó burlón Rubin.

—¡Sí, muchísimo!

Los monstruos se miraron llenos de orgullo. ¡Lo habían logrado! Aunque algunos decían que nunca podrían volver a asustar a nadie, habían conseguido atemorizar al arquitecto más chulo, odioso y maleducado de todo el país.

El plan había salido a la perfección. ¡Y mi guión tampoco estaba nada mal!

Bianca rompió el contrato en trocitos muy pequeños.

—Y ahora vete y no vuelvas jamás. ¿Entendido? —gritó la bruja soltándolo.

—¡No os preocupéis, no quiero volver a ver vuestras caras en mi vida! —exclamó Pamplinas saliendo a toda pastilla.

—¡Habéis estado geniales! —nos dijo Verruguina—. ¡Gracias! Si el museo está a salvo, es gracias a vosotros.

Manos, zarpas y alas estallaron en un conmovedor aplauso, como cuando acaba un gran espectáculo.

—¿Has visto, Yves? —dijo Bianca—. Al final has recibido tu aplauso. A lo mejor así nos perdonas por hacer que te eliminaran de la prueba... Pero es que te necesitábamos para esta representación. ¡Eres el monstruo más teatral y elegante del museo!

—Bien, en ese caso... ¡gracias! —contestó él con una reverencia digna del Teatro Real.

Nos sentamos sobre lápidas y ataúdes, agotados. Necesitábamos descansar un ratito después de tantas aventuras. Pero las emociones no habían acabado, amigos voladores...

En medio del silencio, oímos ruido en el pasillo de entrada y una voz soñolienta que decía:

—¿Sois vosotros, chicos?

La reconocimos al instante. ¡Era Blob!

—Se le debe de haber pasado el efecto de la poción —dijo la momia.

—¡Auuuhhh! —aulló Joe—. Ahora sí que estamos en un lío.

Martin miró los cristales de sus gafas. No se habían empañado... Puede que la llegada del profesor no fuera una tragedia, como temía el hombre lobo.

—¡Rápido, escondámonos! ¡No debe vernos por nada del mundo! —exclamó alarmada Verruguina.

Pero ya era tarde. Blob se había asomado a la sala y nos estaba mirando con cara de terror.

—¿Qué-qué es-está pasando? ¿Qué-qué hace e-ella aquí?

El tiempo pasa y los efectos especiales del cine mejoran cada vez más rápido. Pero la verdadera revolución llega en 1993, con la primera película que utiliza los gráficos de ordenador para recrear unas criaturas monstruosas que desaparecieron hace millones de años. Ni actores, ni disfraces, ni robots: los protagonistas de esta película son imágenes generadas por ordenador. Estamos hablando de los dinosaurios y de la película que los convirtió en auténticas estrellas de cine: ¡Jurassic park!

ALFOMBRILLAS Y CARACOLES

¿Sabéis que los *Velociraptor* de Jurassic Park en realidad son *Deinonychus*? Se parecen mucho, pero son mucho más altos. Para que las imágenes quedaran mejor, eligieron un dinosaurio de la altura de un hombre en vez del *Velociraptor*, que mide menos de un metro. El *Tyrannosaurus Rex* también necesitó una ayudita. En su caso no era una cuestión de tamaño sino de velocidad: el rey de los dinosaurios solo podía correr a 30 kilómetros por hora, y para perseguir un jeep, tenía que ir mucho más rápido. ¡Y menudo vozarrón tenía! Para imitar el rugido del tiranosaurio, mezclaron los sonidos de un tigre y un elefante.

DISEÑA UN DINOSAURIO

¿Queréis poner a prueba vuestro talento artístico? Dibujar un dinosaurio es muy fácil. Coged un papel en blanco y un lápiz, y después seguid paso a paso estas instrucciones tan facilitas.

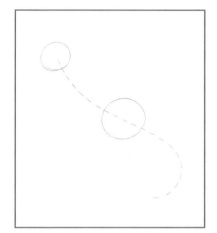
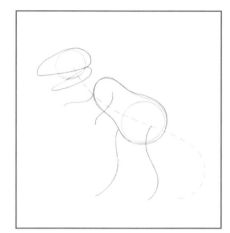
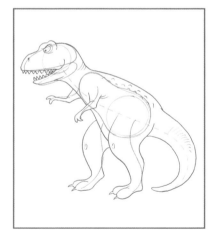

19
¡NOSOTROS TE AYUDAREMOS, PAPÁ!

l profesor miró a su alrededor, desconcertado: el suelo estaba cubierto de salsa de tomate, las estatuas llenas de barro y fuera de sitio, y la ropa que debía estar guardada en las cajas de la mudanza... ¡la llevábamos puesta nosotros!

—Creía que ibais a ayudarme a ordenarlo todo y, en vez de eso, mirad el desastre que habéis montado... —dijo desconsolado.

Los monstruos permanecieron inmóviles, simulando que eran estatuas. Nosotros bajamos la mirada, sin saber qué hacer.

—¿Cómo habéis entrado sin llave? ¿Y quién os ha dado permiso para jugar con los efectos especiales? —siguió Blob, furioso—. El nuevo propietario del edificio está a punto de llegar y yo le había prometido que el museo estaría vacío...

—¡No se preocupe! —lo interrumpió Leo sin pensar—. Pamplinas no volverá por aquí, se lo aseguro.

—¿Y tú cómo lo sabes, jovencito? —preguntó el profesor, receloso.

Leo se puso rojo como un tomate y empezó a agitar los cuchillos, farfullando:

—Bueno, porque..., la verdad..., o sea..., nosotros...

—¡Porque nos lo ha dicho él, claro! —intervino Martin, que acababa de tener una idea genial. Tan genial que saltó una chispa de la chaqueta eléctrica—. Lo hemos conocido hace un rato, frente al museo. Venía a hablar con usted, profesor. Pero usted no aparecía... Le ha llamado un montón de veces, pero tampoco contestaba al teléfono...

Blob nos miró inquieto.

—¿Qué hora es? —preguntó con aspecto desoriendado y confuso.

—Casi las seis —le informó Martin.

El profesor no podía creérselo. Se había despertado atontado por el efecto del filtro mágico de Verruguina y estaba convencido de que llegaba puntual a su cita con Pamplinas. Los hermanos Silver necesitaron toda su imaginación para calmarlo. ¡Y sabéis cómo lo hicieron? Con un cuento, claro, que empezaba así:

—Nosotros también hemos llegado un poco tarde —admitió Martin—. Al ver el museo cerrado, hemos pensado que podía haber tenido un accidente mientras arreglaba la instalación de la luz con el electricista. Nos hemos preocupado mucho. Así que hemos roto una ventana de la parte trasera y hemos entrado para ver si se habían quedado encerrados dentro.

El profesor escuchaba atentamente, creyendo la historia que le estaba contando Martin, nuestro cerebrín.

—Por desgracia, ha habido un problema... —dijo Martin mirando a su alrededor en busca de ayuda.

—¿Qué problema? —preguntó Blob.

—Sí, ¿cuál ha sido el problema, Rebecca? —le preguntó él a su hermana—. ¿Te acuerdas?

—¡Pues claro, hermanote! Imposible olvidarse de

un problema así. Bueno, sí... Hemos entrado por la ventana y... no había luz. Así que nos hemos puesto a buscar una linterna, claro. Y, al caminar a oscuras, hemos tropezado con las latas de salsa de tomate y las estatuas, y por este motivo hemos montado este desastre.

—¡Eso! —asintió Martin.

Blob los miró perplejo.

—Vale, pero sigo sin entender por qué se ha ido Pamplinas.

—Porque... —empezó Rebecca.

—Porque... —dijo Martin intentando ganar algo de tiempo.

Esta vez fue Leo el que salvó la situación.

—Porque cuando el arquitecto ha visto el estado de la instalación eléctrica, ha dicho... —Y entonces incluso imitó la odiosa vocecita de Pamplinas—: «¡Esto sí que es un problema! ¡La instalación es demasiado vieja!».

—¡Exacto! Demasiado vieja —asintió Rebecca.

—«¡Hará falta un montón de dinero para arreglarla!» —continuó Leo imitando la voz del arquitecto.

—Eso mismo —confirmó Martin.

—Y después se ha enfadado mucho y se ha puesto a gritar que esta barraca polvorienta no valía ni la mitad del dinero que le había ofrecido. Ha dicho que estaba usted loco y que era un ladrón, un timador, un tacaño, un bobo, un...

—¡Ya vale, Leo! —lo interrumpió Rebecca antes de que su entusiasmo lo estropeara todo—. ¡Ya vale!

Leo bajó el tono, se inclinó para recoger del suelo un trocito de papel, se lo enseñó a Timothy, y acabó:

—Estaba tan enfadado que ha roto el contrato en mil pedazos. ¿Ve?

¡Por el sónar de mi abuelo! Los hermanos Silver acababan de inventarse una historia digna de un escritor. Y lo habían hecho tan rápido que me entraron ganas de aplaudir.

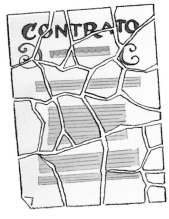

Timothy también parecía afectado por la historia, sobre todo por el final. Se acercó a los chicos para observar el papel roto. Después se arrodilló en el suelo para unir los trozos, como un niño montando un puzle.

Cuando el documento estuvo entero, nos miró abatido.

—¡Estoy arruinado! ¡Acabado! No encontraré nunca un comprador tan rico como Pamplinas, ¿lo entendéis?

—Pero profesor... —empezó Martin.

—¡Silencio! Vuestra madre me había asegurado que me ayudaríais, y mirad esto... ¡menudo espectáculo!

Al oír la palabra «espectáculo», debió de encenderse una bombilla en el cerebro de uno de los pre-

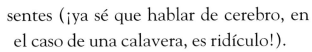

sentes (¡ya sé que hablar de cerebro, en el caso de una calavera, es ridículo!).

El caso es que de repente Yves Piruetas, el esqueleto bailarín, hizo un magnífico paso de ballet y se puso a bailar delante de Blob. Uno a uno, sus monstruosos hermanos empezaron a cantar una especie de estribillo:

—¡TA-RA-RI, TA-RA-RA! ¡NOSOTROS TE AYUDAREMOS, PAPÁ!

Después se quedaron inmóviles, cada uno en su sitio.

A Blob casi se le cae la mandíbula al suelo del asombro. Se restregó los ojos un par de veces y se volvió incrédulo hacia nosotros.

—¿Habéis visto eso?

Los hermanos Silver se miraron sin saber qué contestar.

—¡El qué? —preguntó Leo fingiendo indiferencia.

—El baile... —farfulló—. La cancioncilla... Me han llamado «papá»... ¡Han dicho que querían ayudarme!

—¿Y si fuera verdad? —sugirió Rebecca—. ¿Y si pudieran echarle una mano?

—¡Vamos, jovencita! ¡Solo son muñecos!

—Pero es verdad que, en cierto sentido, usted es su padre. Y que esta es su casa. Es bonito pensar que se alegrarían de que el museo no cerrara las puertas —dijo Martin—. Y usted también se alegraría, ¿me equivoco, profesor?

217

¡DRAGONES del mundo, id a vivir a China! En este país, a los dragones no se los considera malvados protectores de tesoros o crueles amos de cuevas, ríos o montañas. Al contrario, son símbolos de sabiduría y bondad.

¡QUÉ BESTIAS!

Si os pensáis que los dragones solo existen en la imaginación de los escritores y los poetas, estáis muy equivocados. En Australia hay uno del tamaño de un plátano, que se llama «dragón barbudo». Cuando se enfada, la bolsa que tiene bajo la barbilla se vuelve negra y parece que de repente le salga una barba espesa y oscura en el morro. En realidad, es un animalito dulce y afectuoso que se alimenta de verdura, grillos, pétalos de rosa y flores de hibisco. Se puede tener en casa... aunque, en mi opinión, los animales son mucho más felices cuando viven en su hábitat. ¿No os parece?

DRAGONES MIEDOSOS

El dragón de agua, que se suele confundir con el camaleón porque se parecen mucho, es un animal muy tímido. En vez de atacar, sale pitando a la velocidad de la luz. Por eso, con el tiempo, ha aprendido a subirse a los árboles con agilidad y a zambullirse en el agua como un acróbata. Nada muy bien y utiliza la misma técnica que los cocodrilos y los caimanes: pega las patas anteriores al cuerpo y deja colgando las posteriores; la cola lo impulsa con la fuerza de la hélice, y eso le permite huir a una velocidad espectacular. El hombre es el animal que más lo asusta, pero si le ofrecéis un par de gusanos de la miel (gusanitos blancos que se alimentan de cera de abeja), se convertirá en un amiguito muy cariñoso.

20
LOS NUEVOS
MONSTRUOS

l profesor no entendía nada. Así que Leo tomó las riendas con gran valentía y nosotros lo escuchamos sin aliento, esperando que no lo complicara todo como siempre.

—Mientras mis hermanos jugaban a monstruos con los disfraces del museo —contó con aire santurrón—, yo he hecho algunas mejoras a las estatuas.

Blob lo miró con curiosidad.

—He incorporado un par de microchips con sensores de movimiento y los he conectado a una red óptica que permite procesar los datos y transformarlos en impulsos electromagnéticos, y después... —Leo siguió recitando una lista de palabras dificilísimas y supertecnológicas que nadie conocía excepto él.

Por suerte, el profesor hizo un resumen bastante claro.

—O sea, ¿me estás diciendo que, gracias a ti, las estatuas pueden programarse como robots?

—Sí, más o menos eso.

Timothy se acercó a Joe, el hombre lobo, para observarlo con atención.

—¿Y qué puede hacer, por ejemplo?

—¡Podemos hacer cualquier cosa! —exclamó Joe, que estaba a punto de reventar.

Blob dio un bote del susto.

—¡Madre mía! ¡Parece de verdad!

—¡Ja, ja, ja! —rió Leo—. Increíble, ¿verdad? Y le aseguro que todo lo hacen terroríficamente bien.

—¡Ya lo veo! —dijo sonriendo Blob.

Entonces los monstruos entraron en escena. Querían enseñarle a «papá» todas las cosas nuevas que sabían hacer, y demostrarle que no jubilarlos era una buena decisión, porque ahora daban más miedo que nunca.

—Ven, siéntate en mi restaurante... si te atreves —lo desafió Patty.

—Déjalo correr, ese sitio es peligroso. ¿Te vienes

a tomar algo conmigo? —propuso Rubin ofreciendo a Blob un mejunje de color rojo sangre.

—No, mejor échate una siestecilla. Si te metes en mi sarcófago, puedes descansar en paz... ¡para siempre! —dijo Bianca riendo mientras saltaba del ataúd con agilidad.

—¡Te aconsejo que hagas caso a la momia o tendrás que vértelas con mi caldero y sus colmillos! —añadió amenazadora la bruja Verruguina.

—¡Caramba, Leo! Realmente parecen... ¡vivos! —comentó el profesor—. ¿Crees que ahora el museo funcionará?

—Seguro que sí —respondió mi amigo sonriendo satisfecho.

Después de consultarlo con los chicos, el profesor decidió invitar a los periodistas a un baile de disfraces para que probaran la pizza de Patty y Joe, saborearan las sangrientas bebidas de Rubin y se pasea-

ran por los decorados de las películas de terror más famosas. Y todo eso guiados por los propios monstruos, que les contarían sus horripilantes historias.

Los hermanos Silver también iban a participar, y se pondrían los disfraces que llevaban ahora.

Me pareció que la idea tenía el punto justo de terror. ¡Por una vez, no podía esperar nada mejor!

LA PERSPECTIVA DEL MURCIÉLAGO

¡Pasad un buen rato transformando a Leo en un **MONSTRUO**!
Copiad los disfraces, recortadlos y... ¡sed traviesos!

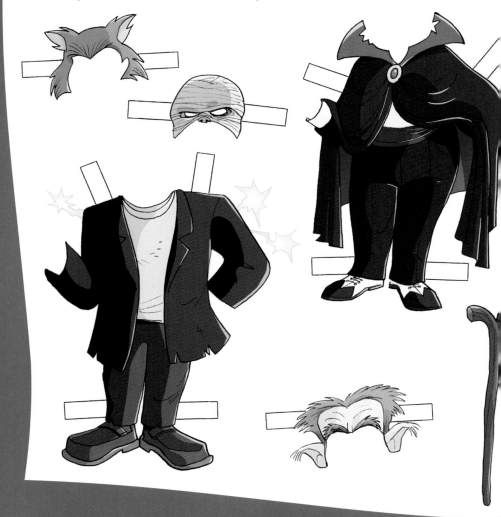

21
GATO NEGRO VOLADOR A LA VISTA

a noche era calurosa, pero soplaba un viento fresco del norte, con perfume a flores y mar, que me empujaba a dar piruetas en aquel cielo lleno de estrellas. Pero el deber me llamaba: la familia Silver al completo me esperaba en el jardín con el uniforme de gala de... ¡monstruo!

Elizabeth iba de vampiresa, con un elegante vestido negro hasta los pies y guantes de terciopelo rojo. George, que se había metido en el papel de un zombi seductor, estaba elegantísimo con su traje a rayas. Martin lucía su centelleante disfraz de Frankenstein; y Leo, pálido como el papel, afilaba sus falsos cuchillos manchados de sangre.

Pero cuando Rebecca y yo salimos al jardín, todos se quedaron sin palabras. Mi amiga me había hecho un disfraz precioso y a conjunto con el suyo. Ella iba de bruja, con el sombrero disparacarbón; y yo..., bueno, yo era su gato negro. Llevaba un monito con una cola peluda, unas orejitas puntiagudas y un hociquito rosa con unos largos bigotes. La única parte de mi cuerpo que se veía eran las alas, pero si las mantenía bajas, parecían las afiladas garras de un felino. Los saludé con un bonito maullido:

—¡Miau!

—¡Ja, ja, ja! —rió Leo—. ¿Sabes que el negro te sienta genial, Bat?

—¡Está monísimo! —se enterneció Elizabeth—. Rebecca, te ha quedado estupendo.

—Gracias, mamá. ¿Nos vamos? —preguntó mi amiga impaciente, subiéndose al coche.

Sus hermanos la siguieron y, en un batir de alas, un coche repleto de monstruos se dirigía al acontecimiento más importante del verano: la reapertura del Museo de los Conjuros de Fogville.

En la entrada había vampiros, hombres lobo, esqueletos, brujas y muchos otros monstruos haciendo cola. Entre ellos se encontraban los periodistas más importantes de la ciudad.

Entonces retumbaron unas campanadas fúnebres y el portón se abrió con un chirrido... ¡como manda la tradición! En el portal apareció el profesor Timothy Blob vestido de negro, como siempre, pero con un elegantísimo sombrero de copa.

—Bienvenidos a mi humilde morada, gentiles huéspedes —dijo en tono tenebroso—. ¡Preparaos para morir de miedo!

Después hizo una profunda reverencia y se apartó

para dejar pasar a los invitados. Pero en cuanto entró el primero, apretó un botón y del sombrero salió disparada una planta carnívora de mentira, dispuesta a zamparse lo que se le pusiera a tiro.

—¡Genial! —exclamó el periodista aplaudiendo mientras una ráfaga de flashes fotografiaba al profesor y su invento.

Y esa solo fue la primera de una serie de escenas de terror que los monstruos y su inventor habían preparado para la ocasión. La pizza de Joe y Patty le encantó a todo el mundo, los ballets de Yves recibieron fuertes aplausos y las bebidas de Rubin se convirtieron en el último grito en refrescos. Cada diez minutos se oía un grito aterrorizado, pero el chillido se convertía enseguida en

una carcajada de pura diversión. Los periodistas se quedaron pasmados y todos los invitados felicitaron a Blob por la exposición y las estatuas restauradas. Resumiendo, el nuevo Museo de los Conjuros tuvo tanto éxito que al día siguiente el *Eco de Fogville*, el periódico más importante de la ciudad, publicó un artículo de aullido titulado: LA EXPOSICIÓN DE LOS MONSTRUOS SALE DE LAS SOMBRAS.

Lo leímos todos juntos durante el desayuno. Más o menos, decía así: «Ayer por la noche, la ciudad de Fogville tuvo el honor de asistir a la inauguración del nuevo Museo de los Conjuros. ¿Creíais que los monstruos eran algo del pasado? ¡Os equivocáis! Las estatuas del profesor Timothy Blob son unas reproducciones perfectas que parecen de carne y hueso y actúan tan bien como los actores que representan. La que más impacta, por su complejidad tecnológica, es la de un gato negro capaz de volar...».

—¡Bat, hablan de ti! —exclamó Rebecca entusiasmada.

¡Por todos los mosquitos! ¡Me habían tomado por un robot de verdad!

El artículo seguía: «Asombrados ante tanta perfección, preguntamos al profesor Blob quién era el creador de aquella pasmosa tecnología. Él nos contestó que un joven y genial inventor de Fogville. No quiso darnos su nombre, ya que era menor de edad. ¿Cómo no estar de acuerdo? ¡Nuestras felicitaciones a este joven genio!».

Leo se puso rojo como un tomate.

Nosotros lo aplaudimos.

—¡Muy bien!

—Cariño mío, estoy muy orgullosa de ti —dijo su madre.

—Yo también —añadió su padre.

—¡Pues vamos a celebrarlo! —exclamó Leo—. ¿Qué os parece si vamos a tomarnos un helado gigante a Golosísimos?

Al cabo de diez minutos estábamos frente a los cincuenta sabores de nuestra heladería favorita: ¡incluso había uno de tomate!

Divertido, ¡pero yo no lo habría probado ni por cien mosquitos de pantano frescos!

A lo mejor debería proponérselo a Rubin: seguro que a él le encantaría.

¿A vosotros qué os parece?

Un saludo «monstruoso» de vuestro

Bat Pat

ÍNDICE

BAT PAT

1. EL TESORO
DEL CEMENTERIO

2. BRUJAS A
MEDIANOCHE

3. LA ABUELA DE
TUTANKAMÓN

4. EL PIRATA
DIENTEDEORO

5. EL MONSTRUO
DE LAS CLOACAS

6. EL VAMPIRO
BAILARÍN

7. EL MAMUT
FRIOLERO

8. EL FANTASMA
DEL DOCTOR TUFO

9. LOS TROLLS
CABEZUDOS

10. UN HOMBRE LOBO
CHIFLADO

11. LOS ZOMBIS
ATLÉTICOS

12. LA ISLA DE
LAS SIRENAS

13. LOS MONSTRUOS
ACUÁTICOS

14. LA CASA
EMBRUJADA

15. NUNCA BROMEES
CON UN SAMURÁI

16. EL SUPERROBOT
HAMBRIENTO

17. EL ESCRITOR
FANTASMA

18. EL RETORNO
DEL ESQUELETO

EN BUSCA DE LA CIUDAD PERDIDA

LAS ESCALOFRIANTES
AVENTURAS DE BAT PAT

EL PRISIONERO
DEL MONSTRUO

EL SECRETO DEL
ALQUIMISTA

¡ADIÓS, AMIGOS!